D1630015

Cosmétique de l'ennemi

Amélie Nothomb

Cosmétique
de l'ennemi

ROMAN

Albin Michel

VILLE DE LAVAL
BIBLIOTHÈQUE ÉMILE-NELLIGAN

IL A ÉTÉ TIRÉ DE CET OUVRAGE
VINGT-CINQ EXEMPLAIRES
SUR VÉLIN BOUFFANT DES PAPETERIES SALZER
DONT QUINZE EXEMPLAIRES NUMÉROTÉS DE 1 À 15
ET DIX HORS COMMERCE NUMÉROTÉS DE I À X

© Éditions Albin Michel S.A., 2001
22, rue Huyghens, 75014 Paris

www.albin-michel.fr

ISBN broché 2-226-12657-0
ISBN luxe 2-226-12726-7

COSMÉTIQUE, l'homme se lissa les cheveux avec le plat de la main. Il fallait qu'il fût présentable afin de rencontrer sa victime dans les règles de l'art.

Les nerfs de Jérôme Angust étaient déjà à vif quand la voix de l'hôtesse annonça que l'avion, en raison de problèmes techniques, serait retardé pour une durée indéterminée.

« Il ne manquait plus que ça », pensa-t-il.

Il détestait les aéroports et la perspective de rester dans cette salle d'attente pendant un laps de temps pas même précisé l'exaspérait.

Il sortit un livre de son sac et s'y plongea rageusement.

– Bonjour, monsieur, lui dit quelqu'un avec cérémonie.

Il souleva à peine le nez et rendit un bonjour de machinale politesse.

L'homme s'assit à côté de lui.

– C'est assommant, n'est-ce pas, ces retards d'avion ?

– Oui, marmonna-t-il.

– Si au moins on savait combien d'heures on allait devoir attendre, on pourrait s'organiser.

Jérôme Angust approuva de la tête.

– C'est bien, votre livre ? demanda l'inconnu.

« Allons bon, pensa Jérôme, faut-il en plus qu'un raseur vienne me tenir la jambe ? »

– Hm hm, répondit-il, l'air de dire : « Fichez-moi la paix. »

– Vous avez de la chance. Moi, je suis incapable de lire dans un lieu public.

« Et du coup, il vient embêter ceux qui en sont capables », soupira intérieurement Angust.

– Je déteste les aéroports, reprit l'homme. («Moi aussi, de plus en plus», songea Jérôme.) Les naïfs croient que l'on y croise des voyageurs. Quelle erreur romantique ! Savez-vous quelle espèce de gens l'on voit ici ?

– Des importuns ? grinça celui qui continuait à simuler la lecture.

– Non, dit l'autre qui ne prit pas cela pour lui. Ce sont des cadres en voyage d'affaires. Le voyage d'affaires est à ce point la négation du voyage qu'il ne devrait pas porter ce nom. Cette activité devrait s'appeler « déplacement de commerçant ». Vous ne trouvez pas que cela serait plus correct ?

– Je suis en voyage d'affaires, articula Angust, pensant que l'inconnu allait s'excuser pour sa gaffe.

– Inutile de le préciser, monsieur, cela se voit.

« Et grossier, en plus ! » fulmina Jérôme.

Comme la politesse avait été enfreinte, il décida qu'il avait lui aussi le droit de s'en passer.

– Monsieur, puisque vous ne semblez pas l'avoir compris, je n'ai pas envie de vous parler.

– Pourquoi ? demanda l'inconnu avec fraîcheur.

– Je lis.

– Non, monsieur.

– Pardon ?

– Vous ne lisez pas. Peut-être croyez-vous être en train de lire. La lecture, ce n'est pas ça.

– Bon, écoutez, je n'ai aucune envie d'entendre de profondes considérations sur la lecture. Vous m'énervez. Même si je ne lisais pas, je ne voudrais pas vous parler.

– On voit tout de suite quand quelqu'un lit. Celui qui lit – qui lit vraiment – n'est pas là. Vous étiez là, monsieur.

— Si vous saviez combien je le regrette ! Surtout depuis votre arrivée.

— Oui, la vie est pleine de ces petits désagréments qui la rendent insane. Bien plus que les problèmes métaphysiques, ce sont les infimes contrariétés qui signalent l'absurdité de l'existence.

— Monsieur, votre philosophie à deux francs cinquante, vous pouvez vous la...

— Ne soyez pas inconvenant, je vous prie.

— Vous l'êtes bien, vous !

— Texel. Textor Texel.

— Qu'est-ce que vous me chantez là ?

— Reconnaissez qu'il est plus facile de converser avec quelqu'un dont on connaît le nom.

— Puisque je vous dis que je ne veux pas converser avec vous !

— Pourquoi cette agressivité, monsieur Jérôme Angust ?

— Comment savez-vous mon nom ?

— C'est écrit sur l'étiquette de votre sac de voyage. Il y a votre adresse aussi.

Angust soupira :

— Bon. Qu'est-ce que vous voulez ?

— Rien. Parler.

— J'ai horreur des gens qui veulent parler.

— Désolé. Vous pouvez difficilement m'en empêcher : ce n'est pas interdit.

L'importuné se leva et alla s'asseoir cinquante mètres plus loin. Peine perdue : l'importun le suivit et se posta à côté de lui. Jérôme bougea à nouveau pour aller occuper une place vide coincée entre deux personnes, se croyant ainsi à l'abri. Cela ne sembla pas gêner son escorte qui s'installa debout face à lui et reprit l'assaut.

— Vous avez des ennuis professionnels ?

— Vous allez me parler devant les gens ?

— Où est le problème ?

Angust se leva encore pour reprendre son ancienne place : tant qu'à se faire humilier par un raseur, autant se passer de spectateurs.

— Vous avez des ennuis professionnels ? répéta Texel.

— Inutile de me poser des questions. Je ne répondrai pas.

— Pourquoi ?

— Je ne peux pas vous empêcher de parler puisque ce n'est pas interdit. Vous ne pouvez pas me forcer à répondre puisque ce n'est pas obligatoire.

— Vous venez cependant de me répondre.

— Pour mieux m'en abstenir ensuite.

— Je vais donc vous parler de moi.

— J'en étais sûr.

— Comme je vous l'ai déjà dit, mon nom est Texel. Textor Texel.

— Navré.

— Vous dites cela parce que mon nom est bizarre ?

— Je dis cela parce que je suis navré de vous rencontrer, monsieur.

— Il n'est pourtant pas si bizarre, mon nom. Texel est un patronyme comme un

autre, qui dit mes origines hollandaises. Cela
sonne bien, Texel. Qu'en pensez-vous ?

– Rien.

– Évidemment, Textor, c'est moins facile.
Pourtant, c'est un prénom qui a ses lettres de
noblesse. Savez-vous que c'était l'un des
nombreux prénoms de Goethe ?

– Le pauvre.

– Non : ce n'est pas si mal, Textor.

– Ce qui est affligeant, c'est d'avoir
quelque chose en commun avec vous, ne
serait-ce qu'un prénom.

– On croit que c'est laid, Textor, mais si
l'on y réfléchit, ce n'est pas bien différent du
mot « texte », qui est irréprochable. À votre
avis, quelle pourrait être l'étymologie du prénom Textor ?

– Punition ? Châtiment ?

– Auriez-vous donc quelque chose à vous
reprocher ? demanda l'homme avec un drôle
de sourire.

14

– Vraiment pas. Il n'y a pas de justice : on s'en prend toujours à des innocents.

– Quoi qu'il en soit, votre proposition est fantaisiste. Textor vient de « texte ».

– Si vous saviez combien ça m'est égal.

– Le mot « texte » vient du verbe latin *texere*, qui signifie « tisser ». Comme quoi le texte est d'abord un tissage de mots. Intéressant, n'est-ce pas ?

– En somme, votre prénom signifie « tisserand » ?

– J'y verrais plutôt le sens second, plus élevé, de « rédacteur » : celui qui tisse le texte. Dommage qu'avec un nom pareil je ne sois pas écrivain.

– En effet. Vous noirciriez du papier au lieu d'accabler les inconnus avec votre bla-bla.

– Comme quoi c'est un beau prénom que le mien. En vérité, ce qui pose problème, c'est la conjonction de mon patronyme et de mon prénom : il faut reconnaître que Textor Texel, cela sonne mal.

– C'est bien fait pour vous.

– Textor Texel, reprit l'homme en insistant sur la difficulté qu'il y avait à prononcer cette succession de *x* et de *t*. Je me demande ce qui s'est passé dans la tête de mes parents pour m'appeler ainsi.

– Fallait leur demander.

– Mes parents sont morts quand j'avais quatre ans, en me laissant en héritage cette identité mystérieuse, comme un message que j'aurais à élucider.

– Élucidez-le sans moi.

– Textor Texel... Avec le temps, quand on s'est habitué à prononcer ces sons complexes, on cesse de les trouver discordants. Il y a même, en fin de compte, une certaine beauté phonétique à ce nom singulier : Textor Texel, Textor Texel, Textor...

– Vous allez encore vous gargariser longtemps ?

— De toute façon, comme l'écrit le linguiste Gustave Guillaume : « Les choses qui plaisent à l'oreille sont celles qui plaisent à l'esprit. »

— Que peut-on faire contre les gens de votre espèce ? S'enfermer aux toilettes ?

— Cela ne servirait à rien, cher monsieur. Nous sommes dans un aéroport : les toilettes ne sont pas isolées phoniquement. Je vous accompagnerais en ces lieux et je continuerais à vous parler derrière la porte.

— Pourquoi faites-vous ça ?

— Parce que j'en ai envie. Je fais toujours ce dont j'ai envie.

— Moi, j'ai envie de vous casser la gueule.

— Pas de chance pour vous : ce n'est pas légal. Moi, ce que j'aime dans la vie, ce sont les nuisances autorisées. Elles sont d'autant plus amusantes que les victimes n'ont pas le droit de se défendre.

— Vous n'avez pas d'ambitions plus hautes dans l'existence ?

17

— Non.

— Moi, si.

— Ce n'est pas vrai.

— Qu'en savez-vous ?

— Vous êtes un homme d'affaires. Vos ambitions se chiffrent en argent. C'est petit.

— Au moins, je n'embête personne.

— Vous nuisez certainement à quelqu'un.

— Quand bien même ce serait vrai, qui êtes-vous pour venir me le reprocher ?

— Je suis Texel. Textor Texel.

— On le saura.

— Je suis hollandais.

— Le Hollandais des aéroports. On a les Hollandais volants qu'on peut.

— Le Hollandais volant ? Un débutant. Un romantique niais qui ne s'en prenait qu'aux femmes.

— Tandis que vous, vous vous en prenez aux hommes ?

— Je m'en prends à qui m'inspire. Vous êtes très inspirant, monsieur Angust. Vous n'avez pas une tête d'homme d'affaires. Il y a en vous, malgré vous, quelque chose de disponible. Cela me touche.

— Détrompez-vous : je ne suis pas disponible.

— Vous voudriez le penser. Pourtant, le monde dans lequel vous vivez n'a pas réussi à tuer en vous le jeune homme aux portes ouvertes sur l'univers, et en réalité dévoré de curiosité. Vous brûlez de connaître mon secret.

— Les êtres de votre espèce sont toujours persuadés que les autres s'intéressent à eux.

— Le pire, c'est qu'ils ont raison.

— Allez-y, tâchez de me divertir. Ça fera toujours passer le temps.

Jérôme referma son livre et croisa les bras. Il se mit à regarder l'importun comme on contemple un conférencier.

— Mon nom est Texel. Textor Texel.

— C'est un refrain ou quoi ?

— Je suis hollandais.

– Pensiez-vous que je l'avais oublié ?

– Si vous m'interrompez sans cesse, nous n'irons pas loin.

– Je ne suis pas sûr de vouloir aller loin avec vous.

– Si vous saviez ! Je gagne à être connu. Il suffit que je vous dise quelques épisodes de ma vie pour vous convaincre. Par exemple, quand j'étais petit, j'ai tué quelqu'un.

– Pardon ?

– J'avais huit ans. Il y avait dans ma classe un enfant qui s'appelait Franck. Il était charmant, gentil, beau, souriant. Sans être le premier de la classe, il obtenait de bons résultats scolaires, surtout en gymnastique, ce qui a toujours été la clef de la popularité enfantine. Tout le monde l'adorait.

– Sauf vous, bien sûr.

– Je ne pouvais pas le supporter. Il faut préciser que moi, j'étais malingre, le dernier en gymnastique, et que je n'avais pas d'amis.

– Tiens ! sourit Angust. Déjà impopulaire !

— Ce n'était pas faute de faire des efforts. J'essayais désespérément de plaire, d'être sympathique et drôle ; je ne parvenais à rien.

— Cela n'a pas changé.

— Ma haine pour Franck n'en était que plus grande. C'était un temps où je croyais encore en Dieu. Un dimanche soir, je me suis mis à prier dans mon lit. Une prière satanique : je priai Dieu de tuer le petit garçon que je détestais. Je passai des heures à l'en implorer de toute ma force.

— Je devine la suite.

— Le lendemain matin, à l'école, l'institutrice entra en classe avec un air contrit. Les larmes aux yeux, elle nous annonça que Franck était mort pendant la nuit, d'une inexplicable crise cardiaque.

— Et, naturellement, vous avez cru que c'était votre faute.

— C'était ma faute. Comment ce petit garçon en pleine santé eût-il pu avoir une crise cardiaque, sans mon intervention ?

— Si c'était si facile, il n'y aurait plus beaucoup de vivants, sur la planète.

— Les enfants de la classe se mirent à pleurer. Nous eûmes droit aux lieux communs d'usage : « Ce sont toujours les meilleurs qui s'en vont », etc. Moi, je pensais : « Évidemment ! Je ne me serais pas donné tant de mal à prier si ce n'avait été pour nous débarrasser du meilleur d'entre nous ! »

— Alors comme ça, vous croyez être en communication directe avec Dieu ? Vous ne doutez de rien, vous.

— Mon premier sentiment fut de triomphe : j'avais réussi. Ce Franck allait enfin cesser de me gâcher l'existence. Peu à peu, je compris que la mort de l'enfant ne m'avait pas rendu plus populaire. En vérité, elle n'avait rien changé à mon statut de vilain petit canard mal aimé. J'avais cru qu'il me suffirait d'avoir le champ libre pour m'imposer. Quelle erreur ! On oublia Franck, mais je ne pris pas sa place.

— Pas étonnant. On ne peut pas dire que vous ayez beaucoup de charisme.

— Peu à peu, je commençai à éprouver des remords. Il est singulier de penser que, si j'étais devenu populaire, je n'aurais pas regretté mon crime. Mais j'avais la conviction d'avoir tué Franck pour rien et je me le reprochais.

— Et depuis, vous interpellez des quidams dans les aéroports pour les bassiner avec votre repentir.

— Attendez, ce n'est pas si simple. J'avais honte, mais pas au point d'en souffrir.

— Sans doute aviez-vous malgré vous assez de bon sens pour savoir que vous n'étiez en rien la cause de sa mort ?

— Détrompez-vous. Je n'ai jamais douté de ma culpabilité absolue dans cet assassinat. Mais ma conscience n'avait pas été préparée à cette situation. Vous savez, les adultes apprennent aux enfants à dire bonjour à la dame et à ne pas se mettre les doigts dans le nez : ils ne leur apprennent pas à ne pas tuer leurs petits camarades de classe. J'aurais éprouvé davantage de remords si j'avais volé des bonbons à l'étalage.

— Si vous avez perdu la foi, comment pouvez-vous encore croire que vous êtes la cause de la mort de ce Franck ?

— Rien n'est aussi puissant qu'un esprit animé par la foi. Qu'importe que Dieu existe ou non. Ma prière était bien assez forte, par sa conviction, pour anéantir une vie. C'est un pouvoir que j'ai perdu en cessant de croire.

— Encore heureux que vous ne croyiez plus, en ce cas.

— Oui. Cela a rendu mon meurtre suivant nettement moins facile.

— Ah ! Parce qu'il y a une suite ?

— Ce n'est que le premier mort qui compte. C'est l'un des problèmes de la culpabilité en cas d'assassinat : elle n'est pas additionnelle. Il n'est pas considéré comme plus grave d'avoir tué cent personnes que d'en avoir tué une seule. Du coup, quand on en a tué une, on ne voit pas pourquoi on se priverait d'en tuer cent.

– C'est vrai. Pourquoi limiter ces petits plaisirs de l'existence ?

– Je vois que vous ne me prenez pas au sérieux. Vous vous moquez.

– Vu ce que vous appelez un meurtre, je n'ai pas l'impression d'être en présence d'un grand criminel.

– Vous avez raison, je ne suis pas un grand criminel. Je suis un petit criminel sans envergure.

– J'aime ces accès de lucidité.

– Rendez-vous compte : je n'ai tué que deux personnes.

– C'est un chiffre médiocre. Il faut avoir plus d'ambition, monsieur.

– Je partage votre opinion. J'étais né pour de plus hauts desseins. Le démon de la culpabilité m'a empêché de devenir l'être immense que j'aurais voulu devenir.

— Le démon de la culpabilité ? Je pensais que vous aviez éprouvé un petit repentir de rien du tout.

— Pour le meurtre de Franck, oui. C'est plus tard que la culpabilité a pris possession de moi.

— Lors du second meurtre ? Comment avez-vous procédé, cette fois ? Par envoûtement ?

— Vous avez tort de me railler. Non, je suis devenu coupable en même temps que j'ai perdu la foi. Mais je ne sais même pas si j'ai affaire à un croyant.

— Non. Personne n'a jamais cru dans ma famille.

— C'est drôle, ces gens qui parlent de la foi comme de l'hémophilie. Mes parents ne croyaient en rien ; cela ne m'a pas empêché de croire.

— Vous avez fini par devenir comme vos parents : vous ne croyez plus.

— Oui, mais c'est à cause d'un accident, un accident mental qui aurait pu ne pas se produire et qui a déterminé la totalité de ma vie.

— Vous parlez comme quelqu'un qui a reçu un coup sur la tête.

— C'est un peu ça. J'avais douze ans et demi. J'habitais chez mes grands-parents. À la maison, il y avait trois chats. C'était moi qui devais leur préparer à manger. Il fallait ouvrir des conserves de poisson et écraser leur contenu avec du riz. Cette besogne m'inspirait un dégoût profond. L'odeur et l'aspect de ce poisson en boîte me donnaient envie de vomir. En plus, je ne pouvais pas me contenter d'émietter leur chair à la fourchette : il fallait qu'elle soit intimement incorporée au riz, sinon les chats ne l'auraient pas mangé. Je devais donc brasser le mélange avec les mains : j'avais beau fermer les yeux, j'étais toujours au bord de l'évanouissement quand je plongeais mes doigts dans ce riz trop cuit et ces débris de poisson et quand je malaxais cette chose dont la consistance me répugnait au-delà du possible.

— Jusqu'ici, je peux comprendre.

— Je me suis livré à cette tâche durant des années, puis l'impensable s'est produit. J'avais donc douze ans et demi et j'ai ouvert les yeux sur la pâtée pour chats que j'étais en train de pétrir. J'ai eu un haut-le-cœur mais j'ai réussi à ne pas vomir. Ce fut alors que, sans savoir pourquoi, j'ai porté à ma bouche une poignée du mélange et je l'ai mangée.

— Pouah.

— Eh bien non ! Justement non ! Il me semblait que je n'avais jamais rien mangé d'aussi bon. Moi qui étais un enfant maigre et affreusement difficile pour la nourriture, moi qu'il fallait forcer à manger, je me pour-léchais de cette bouillie pour animaux. Effaré de ce que je me voyais faire, je me mis à bouffer, à bouffer, poignée après poignée, cette glu poissonneuse. Les trois chats me regardaient avec consternation vider leur pitance dans mon ventre. J'étais encore plus horrifié qu'eux : je découvrais qu'il n'y avait aucune différence entre eux et moi. Je sentais bien que ce n'était pas moi qui avais voulu manger, c'était une force supérieure et suprême qui m'y avait contraint. C'est ainsi que je ne laissai pas même une miette de poisson au fond de la bassine. Les chats durent se passer de dîner ce jour-là. Ils furent les seuls témoins de ma chute.

— C'est plutôt drôle, cette histoire.

— C'est une histoire atroce et qui me fit perdre la foi.

— C'est bizarre. Moi qui ne suis pas croyant, je ne vois pas en quoi aimer la bouffe pour chats est une raison suffisante pour douter de l'existence de Dieu.

— Non, monsieur, je n'aimais pas la bouffe pour chats ! C'était un ennemi, à l'intérieur de moi, qui m'avait forcé à la manger ! Et cet ennemi qui jusque-là s'était tu se révélait mille fois plus puissant que Dieu, au point de me faire perdre la foi non pas en son existence mais en son pouvoir.

– Vous croyez toujours que Dieu existe, alors ?

– Oui, puisque je ne cesse de l'insulter.

– Pourquoi l'insultez-vous ?

– Pour le forcer à réagir. Ça ne marche pas. Il reste amorphe, sans dignité devant mes injures. Même les hommes sont moins mous que lui. Dieu est un jean-foutre. Vous voyez ? Je viens encore de l'insulter et il continue à se taire.

– Que voudriez-vous qu'il fasse ? Qu'il vous jette sa foudre ?

– Vous confondez avec Zeus, monsieur.

– Bon. Vous voudriez qu'il vous envoie une pluie de sauterelles ou que les eaux de la mer Rouge se referment sur vous ?

– C'est ça, moquez-vous. Sachez qu'il est très dur de découvrir la nullité de Dieu et, pour compenser, la toute-puissance de l'ennemi intérieur. On croyait vivre avec un tyran bienveillant au-dessus de sa tête, on se rend compte qu'on vit sous la coupe d'un tyran malveillant qui est logé dans son ventre.

– Allons, ce n'est pas si grave de manger la nourriture des chats.

– Ça vous est déjà arrivé ?

– Non.

– Alors qu'en savez-vous ? C'est atroce de se repaître de la bouffe des chats. D'abord parce que c'est très mauvais. Ensuite parce qu'après on se hait. On se regarde dans la glace et on se dit : « Ce morveux a vidé la gamelle des chats. » On sait qu'on est soumis à une force obscure et détestable qui, au fond de son ventre, hurle de rire.

– Le diable ?

– Appelez-le comme ça si vous voulez.

– Moi, je m'en fiche. Je ne crois pas en Dieu, donc je ne crois pas au diable.

– Je crois en l'ennemi. Les preuves de l'existence de Dieu sont faibles et byzantines, les preuves de son pouvoir sont plus maigres encore. Les preuves de l'existence de l'ennemi intérieur sont énormes et celles de son pouvoir sont écrasantes. Je crois en l'ennemi parce que, tous les jours et toutes les nuits, je le rencontre sur mon chemin. L'ennemi est celui qui, de l'intérieur, détruit ce qui en vaut la peine. Il est celui qui vous montre la décrépitude contenue en chaque réalité. Il est celui qui vous met en lumière votre bassesse et celle de vos amis. Il est celui qui, en un jour parfait, vous trouvera une excellente raison d'être torturé. Il est celui qui vous dégoûtera de vous-même. Il est celui qui, quand vous entreverrez le visage céleste d'une inconnue, vous révélera la mort contenue en tant de beauté.

– N'est-il pas également celui qui, quand vous êtes en train de lire dans la salle d'attente d'un aéroport, vient vous en empêcher par son accablante conversation ?

– Oui. Pour vous, il est cela. Peut-être

n'existe-t-il pas en dehors de vous. Vous le voyez assis à côté de vous mais peut-être est-il en vous, dans votre tête et dans votre ventre, en train de vous empêcher de lire.

— Non monsieur. Moi, je n'ai pas d'ennemi intérieur. J'ai un ennemi, bien réel pour le moment, vous, qui êtes à l'extérieur de moi.

— Si cela vous plaît de le penser. Moi, je sais qu'il est en moi et qu'il fait de moi un coupable.

— Coupable de quoi ?

— De n'avoir pu l'empêcher de prendre le pouvoir.

— Et vous venez m'embêter simplement parce qu'il y a trente ans, vous avez mangé de la bouffe pour chats ? Vous êtes une infection, monsieur. Il y a des médecins pour les gens comme vous.

— Je ne suis pas venu pour me faire soigner par vous. Je suis venu pour vous rendre malade.

— Ça vous amuse ?

– Cela me ravit.

– Et il a fallu que ça tombe sur moi.

– Vous n'avez pas de chance, mon cher.

– Je suis heureux qu'au moins vous en conveniez.

– Et cependant je suis certain que vous ne le regretterez pas. Il y a dans la vie des malheurs salutaires.

– C'est étonnant, cette manie qu'ont les emmerdeurs de se trouver des justifications. C'est ce que Lu Xun appelle le discours du moustique : être piqué par un moustique est déjà bien pénible, mais, en plus, il faut que l'insecte vous serine son *bzbz* à l'oreille – et vous pouvez être sûr qu'il vous raconte des choses du genre : « Je te pique mais c'est pour ton bien. » Si, au moins, il le faisait en silence !

– L'analogie avec le moustique est adéquate. Je vous laisserai comme une démangeaison.

– J'apprends ainsi que vous me laisserez : c'est déjà une parole d'espoir. Et puis-je savoir quand vous estimerez pouvoir partir ?

— Quand j'aurai accompli ma mission avec vous.

— Parce qu'en plus vous avez une mission à mon endroit ? Il devrait y avoir une loi contre les messies. Monsieur, je n'ai aucun besoin de vos enseignements.

— Non, en effet. Vous avez seulement besoin que je vous rende malade.

— Et depuis quand un être bien portant a-t-il besoin d'être malade ?

— D'abord, vous n'êtes pas bien portant. Vous savez parfaitement qu'il y a en vous des choses qui ne vont pas. C'est pourquoi vous avez besoin d'être malade. Pascal a écrit un texte dont le titre est sublime : *Prière pour demander à Dieu le bon usage des maladies.* Car il y a bel et bien un bon usage des maladies. Encore faut-il être malade. Je suis là pour vous donner cette grâce.

— Trop aimable. Gardez votre cadeau, je suis un ingrat.

– Voyez-vous, vous n'avez aucune chance de guérir de vos maux sans moi, à cause de cet axiome imparable : sans maladie, pas de guérison.

– De quoi voulez-vous donc que je guérisse ?

– Pourquoi vous mentez-vous à vous-même ? Vous allez très mal, Jérôme Angust.

– Qu'en savez-vous ?

– Je sais tant de choses.

– Vous travaillez pour les services secrets ?

– Mon service est trop secret pour les services secrets.

– Qui êtes-vous donc ?

– Mon nom est Texel. Textor Texel.

– Oh non, ça recommence !

– Je suis hollandais.

Jérôme Angust mit ses deux mains sur ses oreilles. Il n'entendit plus que le bruit de l'intérieur de son crâne : cela ressemblait au vrombissement vague et lointain que l'on perçoit dans les stations de métro quand il

ne passe aucune rame. Ce n'était pas désagréable. Pendant ce temps, les lèvres de
l'importun continuaient à remuer : « C'est
un demeuré, pensa la victime. Il parle même
quand il sait que je ne peux pas l'entendre.
C'est de la logorrhée. Pourquoi sourit-il
comme ça, comme s'il était le vainqueur ?
C'est moi le vainqueur, puisque je ne
l'entends plus. C'est moi qui devrais sourire.
Or je ne souris pas et lui continue à sourire.
Pourquoi ? »

Les minutes passèrent. Bientôt, Angust
comprit pourquoi Texel souriait : ses bras
commencèrent à le faire souffrir, d'abord
insensiblement, puis de façon insoutenable.
Jérôme ne s'était jamais bouché les oreilles
assez longtemps pour connaître cette douleur.
Le tortionnaire, lui, était sûrement au courant de l'apparition progressive de cette
crampe chez ses victimes. « Je ne suis pas le
premier qu'il vient baratiner pendant des
heures. Je ne suis pas le premier qui se bouche

les oreilles avec les mains devant ses yeux amusés. S'il sourit, c'est parce qu'il a l'habitude : il sait que je ne tiendrai pas longtemps. L'ordure ! Il y a vraiment des pervers sur cette planète ! »

Quelques minutes plus tard, il eut l'impression que ses épaules allaient se démembrer : il avait trop mal. Écœuré, il baissa les bras avec une grimace de soulagement.

— Eh oui, dit simplement le Hollandais.

— Vos victimes vous font toujours ce coup-là, hein ?

— Même si vous étiez le premier, je serais déjà au courant. La crucifixion, vous avez entendu parler ? Pourquoi croyez-vous que le crucifié souffre et meurt ? Pour d'innocents clous dans les mains et les pieds ? À cause des bras en l'air. À la différence de certains mammifères comme le paresseux, l'homme n'est pas conçu pour garder longtemps cette position : si on lui maintient les bras vers le haut pendant une durée excessive, il finit par mourir. Bon, j'exagère un peu : c'est quand il est trop longtemps suspendu par les bras qu'il peut mourir d'étouffement. Vous ne seriez donc pas mort. Mais vous eussiez fini par vous trouver mal. Vous voyez : vous ne pouvez pas m'échapper. Rien n'est laissé au hasard. Pourquoi croyez-vous que je m'en prends à votre ouïe ? Pas seulement parce que c'est légal ; surtout parce que c'est celui des sens qui présente le moins de défenses. Pour se protéger, l'œil a la paupière. Contre une odeur, il suffit de se pincer le nez, geste qui n'a rien de douloureux, même à long terme. Contre le goût, il y a le jeûne et l'abstinence, qui ne sont jamais interdits. Contre le toucher, il y a la loi : vous pouvez appeler la police si l'on vous touche contre votre gré. La personne humaine ne présente qu'un seul point faible : l'oreille.

— C'est faux. Il y a les boules Quies.

— Oui, les boules Quies : la plus belle invention de l'homme. Mais vous n'en avez pas dans votre sac de voyage, n'est-ce pas ?

— Il y a une pharmacie dans l'aéroport. Je cours en acheter.

— Mon pauvre ami, vous pensez bien que, juste avant de vous aborder, je suis allé acheter leur stock entier de boules Quies. Quand je vous disais que rien n'était laissé au hasard ! Voulez-vous savoir ce que je vous racontais, quand vous aviez les mains sur les oreilles ?

— Non.

— Ce n'est pas grave, je vous le dirai quand même. Je vous disais que l'être humain est une citadelle et que les sens en sont les portes. L'ouïe est la moins bien gardée des entrées : d'où votre défaite.

— Une défaite sans victoire dans le camp adverse, alors. Franchement, je ne vois pas ce que vous y gagnez.

— J'y gagne. Ne soyez pas si pressé. Nous avons le temps. Ces retards d'avion sont interminables. Sans moi, vous auriez continué à faire semblant de lire votre bouquin. J'ai tant à vous apporter.

– Le pseudo-meurtre de votre petit camarade, la pâtée des chats... Vous croyez que de telles fadaises peuvent intéresser quelqu'un ?

– Pour raconter une histoire, il vaut mieux commencer par le début, non ? Donc, à douze ans et demi, suite à l'ingestion de la nourriture des chats, j'ai perdu la foi et acquis un ennemi : moi-même, ou, pour être plus exact, cet adversaire inconnu que tous nous logeons dans l'ombre de nos entrailles. Mon univers en fut métamorphosé. Jusque-là, j'étais un orphelin blême et maigre qui vivait calmement avec ses grands-parents. Je devins torturé, angoissé, je me mis à manger comme un forcené.

– Toujours la gamelle des chats ?

– Pas seulement. Celle de mes grands-parents aussi. Dès qu'une nourriture me répugnait, je me jetais sur elle et la dévorais.

– Et en Hollande, il y a de quoi être dégoûté par la nourriture.

– En effet. J'ai donc beaucoup mangé.

41

– Vous n'êtes pas gras, pourtant.

– Je brûle tout sous forme d'anxiété. Je n'ai pas changé depuis l'adolescence : je traîne toujours en moi ce fardeau de culpabilité que je découvrais alors.

– Pourquoi cette culpabilité ?

– Croyez-vous que les gens malades de culpabilité aient besoin d'un motif sérieux ? Mon ennemi intérieur était né à la faveur de la pâtée pour chats : il aurait pu trouver d'autres prétextes. Quand on est destiné à devenir un coupable, il n'est pas nécessaire d'avoir quelque chose à se reprocher. La culpabilité se fraiera un passage par n'importe quel moyen. C'est de la prédestination. Le jansénisme : encore une invention hollandaise.

– Oui. Comme le beurre de cacahouètes et autres monstruosités.

– J'aime le beurre de cacahouètes.

– Ça ne m'étonne pas.

– J'aime surtout le jansénisme. Une doctrine aussi injuste ne pouvait que me plaire.

Enfin une théorie capable de cruauté sincère, comme l'amour.

— Et dire que je me retrouve dans un aéroport en train de me faire emmerder par un janséniste.

— Qui sait ? Cela aussi, c'est peut-être de la prédestination. Il n'est pas impossible que vous ayez vécu jusqu'ici dans le seul but de me rencontrer.

— Je vous jure que non.

— Qui êtes-vous pour le décréter ?

— Il m'est arrivé des choses autrement importantes, dans mon existence.

— Par exemple ?

— Je n'ai pas envie de vous en parler.

— Vous avez tort. Je vais vous apprendre un grand principe, Jérôme Angust. Il n'y a qu'une seule façon légale de me faire taire : c'est de parler. N'oubliez pas. Cela pourrait vous sauver.

— Me sauver de quoi, enfin ?

43

– Vous verrez. Parlez-moi de votre femme, monsieur.

– Comment savez-vous que je suis marié ? Je ne porte pas d'alliance.

– Vous venez de m'apprendre que vous êtes marié. Parlez-moi donc de votre femme.

– C'est hors de question.

– Pourquoi ?

– Je n'ai aucune envie de vous parler d'elle.

– J'en conclus que vous ne l'aimez plus.

– Je l'aime !

– Non. Les gens qui aiment sont toujours intarissables sur l'objet de leur amour.

– Qu'en savez-vous ? Je suis sûr que vous n'aimez personne.

– J'aime.

– Alors allez-y, soyez intarissable sur l'objet de votre amour.

– J'aime une femme sublime.

– En ce cas, que faites-vous ici ? Vous êtes impardonnable de ne pas être auprès d'elle.

44

Vous perdez votre temps à importuner des inconnus quand vous pourriez être avec elle ?

— Elle ne m'aime pas.

— Vous perdez votre temps à importuner des inconnus quand vous pourriez la séduire ?

— J'ai déjà essayé.

— Obstinez-vous !

— Inutile.

— Dégonflé !

— Je sais trop bien que cela ne servirait à rien.

— Et vous osez prétendre que vous l'aimez ?

— Elle est morte.

— Ah !

Le visage de Jérôme se décomposa. Il se tut.

— Quand je l'ai connue, elle était vivante. Je le précise, car il y a des hommes qui ne sont capables d'aimer que des femmes déjà mortes. C'est tellement plus commode, une femme qu'on n'a jamais vu vivre. Mais moi, je l'aimais parce qu'elle était vivante. Elle était plus vivante que les autres. Encore aujourd'hui, elle est plus vivante que les autres.

Silence.

– Ne prenez pas cet air consterné, Jérôme Angust.

– Vous avez raison. Votre femme est morte : ce n'est pas si grave.

– Je n'ai jamais dit que c'était ma femme.

– Raison de plus pour ne pas prendre ça au tragique.

– Vous trouvez qu'il y a de quoi rire ?

– Il faudrait savoir : vous me disiez de ne pas prendre un air consterné.

– Ayez le sens des nuances, je vous prie.

– Je ne dis plus rien.

– Tant pis pour vous. J'ai rencontré cette femme il y a vingt ans. J'avais vingt ans et elle aussi. C'était la première fois qu'une fille m'attirait. Auparavant, je n'avais été obnubilé que par mon propre complexe de culpabilité. Je vivais en autarcie autour de mon nombril, souffrant, m'analysant, mangeant des horreurs, examinant l'effet qu'elles produisaient sur mon anatomie ; le monde extérieur m'affectait de moins en moins. Mes grands-parents étaient morts, me laissant quelques florins, pas assez pour être riche, suffisamment pour me nourrir mal pendant des années. Je m'éloignais du genre humain de plus en plus. Mes journées entières étaient consacrées à la lecture de Pascal et à la recherche d'aliments innommables.

— Et les trois chats ?

— Morts sans descendance. J'ai passé quelques mois à vider les boîtes de poisson que mes grands-parents avaient stockées pour eux. Quand les placards en furent délestés, quand la Hollande eut fini de me lasser, j'allai voir ailleurs. Je m'installai à Paris, non loin de la station Port-Royal.

— La nourriture française était-elle assez mauvaise pour vous ?

— Oui. On mange mal à Paris. J'y trouvai de quoi faire mes délices. C'est là, aussi, que je rencontrai la plus belle jeune fille de l'univers.

— Tout cela devient banal. Laissez-moi deviner : c'était dans les jardins du Luxembourg ?

— Non. Au cimetière.

— Au Père-Lachaise. Classique.

— Non ! Au cimetière de Montmartre. Je trouve significatif de l'avoir découverte parmi les cadavres.

— Je ne connais pas ce cimetière.

— C'est le plus beau de Paris. Il est nettement plus désert que le Père-Lachaise. L'une des tombes m'y touche plus que tout. Je ne sais plus de qui elle est la sépulture. On y voit, à même la pierre tombale, la statue d'une jeune fille écroulée face contre terre. Son visage sera inconnu à jamais. On ne distingue que sa silhouette mi-nue, très pudique, son dos gracile, son pied menu, sa nuque délicate. Le vert-de-gris s'est emparé d'elle comme un supplément de mort.

– Sinistre.

– Non. Charmant. D'autant plus que, quand je l'ai vue la première fois, une vivante était là qui la contemplait et qui avait exactement la même silhouette. De dos, on eût juré la même personne : comme si une jeune fille s'était sue promise à une mort rapide et était venue contempler sa propre statue sur sa tombe future. Je l'ai d'ailleurs abordée en lui demandant si c'était elle qui avait posé. Je lui ai déplu aussitôt.

– Comme je la comprends.

– Pourquoi ?

– Moi aussi, vous m'avez déplu aussitôt. Et puis, cette question n'était pas du meilleur goût.

– Pourquoi ? La jeune fille vert-de-grisée était ravissante.

– Oui, mais sur une tombe.

– Eh bien quoi ? La mort n'a rien d'obscène. Toujours est-il que la jeune vivante a semblé me trouver déplacé et n'a pas daigné me répondre. Entre-temps, j'avais aperçu son visage. Je ne m'en suis jamais remis. Il n'y a rien de plus incompréhensible au monde que les visages ou, plutôt, certains visages : un assemblage de traits et de regards qui soudain devient la seule réalité, l'énigme la plus importante de l'univers, que l'on regarde avec soif et faim, comme si un souverain message y était inscrit. Inutile que je vous la détaille : si je vous disais qu'elle avait les cheveux châtains et les yeux bleus, ce qui était le cas, vous seriez bien avancé. Quoi de plus agaçant, dans les romans, que ces descriptions obligatoires de l'héroïne, où l'on ne nous épargne aucun coloris, comme si cela changeait quelque chose ? En vérité, si elle avait été blonde aux yeux marron, cela n'eût fait aucune différence. Décrire la beauté d'un tel visage est aussi vain et stupide que tenter d'approcher, avec des mots, l'ineffable d'une sonate ou d'une cantate. Mais une cantate ou une sonate eussent peut-être pu parler de son visage. Le malheur de

50

ceux qui croisent pareil mystère est qu'ils ne peuvent plus s'intéresser à rien d'autre.

— Pour une fois, je vous comprends.

— Là s'arrête notre connivence, car vous ne comprenez sûrement pas ce qu'on ressent quand on est rejeté par le visage de sa vie. Vous, vous avez ce qu'on appelle un physique avantageux. Vous ne savez pas ce que c'est, d'avoir si soif et de ne pas avoir le droit de boire, quand l'eau est sous vos yeux, belle, salvatrice, à portée de vos lèvres. L'eau se refuse, à vous qui venez de traverser le désert, pour ce motif incongru que vous n'êtes pas à son goût. Comme si l'eau avait le droit de se refuser à vous ! Quelle impudence ! N'est-ce pas à vous d'avoir soif d'elle et non le contraire ?

— C'est un argument de violeur, ça.

— Vous ne croyez pas si bien dire.

— Quoi ?

— Au début de notre échange, je vous ai averti que je fais toujours ce dont j'ai envie. C'était déjà le cas il y a vingt ans.

– En plein cimetière ?

– C'est le lieu ou l'acte qui vous choque ?

– Tout.

– C'était la première fois de ma vie que je désirais quelqu'un. Je ne voulais pas laisser passer l'occasion. J'eusse préféré que ce ne fût pas un viol.

– Un viol au subjonctif imparfait, c'est encore pire.

– Vous avez raison. Je suis très content de l'avoir violée.

– Je vous demandais de changer le mode, pas le sens.

– On ne change pas le mode sans changer le sens. Et puis c'est vrai : je ne regrette rien.

– Vous êtes rongé de culpabilité d'avoir mangé la bouffe pour chats, mais un viol, ça ne vous inspire aucun remords ?

– Non. Parce qu'à la différence de la pâtée pour chats, le viol était bon. Le cimetière de Montmartre regorge de monuments funérai-res qui ressemblent à des réductions de cathédrales gothiques, avec porte, nef, transept et abside. Quatre êtres humains de corpulence mince y tiendraient facilement debout. En l'occurrence, nous étions deux, moi pas gros, elle mince comme une tige. Je l'ai emmenée de force dans l'un des mausolées et j'ai maintenu ma main sur sa bouche.

— Et vous l'avez violée là ?

— Non. Je l'avais entreposée là pour la cacher. Il devait être dix-sept heures. Il me suffisait d'attendre l'heure de fermeture du cimetière. Je m'étais toujours demandé ce qui m'arriverait si je laissais passer l'heure de fermeture et si je devais être séquestré une nuit entière dans un cimetière. Maintenant, je le sais. J'ai donc gardé ma future victime serrée contre moi pendant plus d'une heure. Elle se débattait, mais elle n'était pas bien musclée. J'adorais sentir sa peur.

— Dois-je vraiment écouter ça ?

— Pas moyen de vous dérober, mon vieux. Elle non plus. Nous avons entendu passer les gardiens du cimetière qui hâtaient les retarda-taires. Bientôt il n'y a plus eu que le bruit de la respiration des morts. Alors j'ai retiré ma main de la bouche de la jeune fille. Je lui ai dit qu'elle pouvait crier, que ça ne servirait à rien : personne ne l'entendrait. Comme c'était une fille intelligente, elle n'a pas gueulé.

– C'est ça. Une fille intelligente, c'est une fille qui se laisse violer gentiment.

– Oh non. Elle a tenté de s'enfuir. C'est qu'elle courait vite ! J'ai galopé derrière elle entre les tombes. J'adorais ça. J'ai fini par bondir sur elle et l'aplatir par terre. Je sentais sa terreur enragée, ça me plaisait. C'était en octobre, les nuits étaient déjà froides. Je l'ai prise sur les feuilles mortes. J'étais puceau, elle pas. L'air était vif, ma victime se débat-tait, le lieu était magnifique, ma victime était splendide. J'ai adoré. Quel souvenir !

– Pourquoi dois-je entendre tout ça ?

– À l'aube, je l'ai cachée à nouveau dans l'une des cathédrales miniatures. J'ai attendu que les gardiens rouvrent le cimetière, qu'il y ait des gens dans les allées. Alors j'ai dit à la fille que nous allions sortir ensemble et que, si elle émettait le moindre appel au secours à l'adresse d'un tiers, je lui casserais la figure.

— Vous êtes un délicat.

— Main dans la main, nous avons quitté le cimetière. Elle marchait comme une morte.

— Sale nécrophile.

— Non. Je lui avais laissé la vie.

— Brave cœur.

— Quand nous nous sommes retrouvés à l'extérieur du cimetière, rue Rachel, je lui ai demandé comment elle s'appelait. Elle m'a craché au visage. Je lui ai dit que je l'aimais trop pour l'appeler crachat.

— Vous êtes un romantique.

— J'ai pris son portefeuille mais il ne contenait aucun papier d'identité. J'ai dit que c'était illégal de se promener sans papiers. Elle m'a proposé de l'amener à la police pour ce grief.

– Elle ne manquait pas d'humour.

– J'ai vu où elle voulait en venir.

– Vraiment ? Quel esprit vif !

– J'ai cru sentir un peu d'impertinence dans votre remarque.

– Vous croyez ? Je ne me permettrais pas.

– Je lui ai demandé où je pouvais la reconduire. Elle a répondu nulle part. Drôle de fille, hein ?

– Oui. C'est bizarre, cette victime qui refuse de sympathiser avec son violeur.

– Elle aurait pu voir que je l'aimais, quand même !

– Vous le lui aviez prouvé d'une manière si douce.

– Dès qu'elle en a eu l'occasion, elle s'est enfuie en courant. Cette fois, je n'ai pas pu la rattraper. Elle a disparu dans la ville. Je ne l'ai plus retrouvée.

– Quel dommage. Une si belle histoire qui commençait si bien.

– J'étais fou d'amour et de bonheur.

— Quelle raison pouviez-vous donc avoir d'être heureux ?

— Il m'était enfin arrivé quelque chose de grand.

— Quelque chose de grand ? Un viol minable, oui.

— Je ne vous demande pas votre avis.

— Que me demandez-vous, au juste ?

— De m'écouter.

— Il y a des psy, pour ça.

— Pourquoi irais-je chez un psy quand il y a des aéroports pleins de gens désœuvrés tout disposés à m'écouter ?

— Il vaut mieux entendre ça que d'être sourd.

— Je me suis mis à rechercher cette fille partout. Au début, je passais mon temps au cimetière de Montmartre, dans l'espoir qu'elle y revienne. Elle n'y revint pas.

— Comme c'est curieux, cette victime si peu pressée de revoir le lieu de son supplice.

— À croire que cela lui avait laissé un mauvais souvenir.

— Vous parlez sérieusement ?

— Oui.

— Vous êtes assez malade pour supposer qu'elle aurait pu aimer ça ?

— C'est flatteur, un viol. Ça prouve qu'on est capable de se mettre hors la loi pour vous.

— La loi. Vous n'avez que ce mot à la bouche. Vous croyez que cette malheureuse pensait à la loi, quand vous... ? Vous mériteriez d'être violé pour comprendre.

— J'aimerais beaucoup. Hélas, personne ne semble en avoir eu envie.

— Ça ne m'étonne pas.

— Suis-je donc si laid ?

— Pas tant que ça. Ce n'est pas le problème.

— Où est-il, alors, le problème ?

— Vous avez vu comment vous abordez les gens ? Vous en êtes incapable autrement que par la violence. La première fille que vous avez désirée, vous l'avez violée. Et quand vous avez envie de parler à quelqu'un, à moi par exemple, vous vous imposez. Moi aussi, vous me violez, certes d'une façon moins infecte, mais quand même. Vous n'avez jamais envisagé d'avoir une forme de relation humaine avec quelqu'un de consentant ?

– Non.

– Ah !

– Qu'est-ce que ça m'apporterait, le consentement d'autrui ?

– Des tas de choses.

– Soyez concret, je vous prie.

– Essayez, vous verrez.

– Trop tard. J'ai quarante ans et, en amitié comme en amour, je n'ai jamais plu à personne. Je n'ai pas même inspiré de camaraderie ou de vague sympathie à quiconque.

– Faites un effort. Rendez-vous attrayant.

– Pourquoi ferais-je un effort ? Je suis content comme ça, moi. Ça m'a plu, ce viol ; ça me plaît, de vous forcer à m'écouter. Pour accepter l'effort, il faut ne pas être satisfait de son sort.

— Et ce qu'en pensent vos victimes, ça vous indiffère ?

— Ça m'est égal.

— C'est ce que je craignais : vous êtes incapable d'éprouver de l'empathie. C'est typique des gens qui n'ont pas été aimés pendant leur petite enfance.

— Vous voyez : pourquoi irais-je chez un psy alors que je vous ai sous la main ?

— Ce sont des rudiments.

— Je crois en effet que mes parents ne m'ont pas aimé. Ils sont morts quand j'avais quatre ans et je ne me souviens pas d'eux. Mais ils se sont suicidés et il me semble que, quand on aime son enfant, on ne se suicide pas. On les a retrouvés, pendus, l'un à côté de l'autre, à la poutre du salon.

— Pourquoi se sont-ils tués ?

— Aucune explication. Ils n'avaient laissé aucun message. Mes grands-parents n'ont jamais compris.

– Je devrais sans doute vous plaindre et, pourtant, je n'en ai aucune envie.

– Vous avez raison. Il n'y a pas lieu d'avoir pitié de moi.

– Les violeurs, ça ne m'inspire que du dégoût.

– Je n'ai commis qu'un seul viol : cela suffit-il à faire de moi un violeur ?

– Qu'est-ce que vous croyez ? Qu'il faut atteindre un certain quota de victimes pour mériter ce mot ? C'est comme pour assassin : il suffit d'un assassiné.

– C'est amusant, le langage. La seconde qui a précédé mon acte, j'étais un être humain ; la seconde d'après, j'étais un violeur.

– J'ai horreur que vous jugiez ça drôle.

– Au moins ai-je été un violeur d'une fidélité exemplaire. Je n'ai jamais violé ni même touché une autre femme. Ce fut le seul rapport sexuel de mon existence.

– Ça lui fait une belle jambe, à la victime.

– C'est tout ce que vous trouvez à dire ?

— Qu'un détraqué de votre espèce n'ait pas de vie sexuelle ne m'étonne pas.

— Ça ne vous paraît pas romantique, cette abstinence ?

— Vous êtes le personnage le moins romantique qu'on puisse imaginer.

— Je ne suis pas de cet avis. Peu importe. J'en reviens à mon histoire. J'ai fini par cesser d'aller au cimetière de Montmartre, comprenant que c'était le dernier endroit où cette fille voulait aller. Ce fut pour moi le début d'une longue errance à travers Paris, à la recherche de celle qui m'obsédait de plus en plus. Je sillonnais la ville avec méthode, arrondissement par arrondissement, quartier par quartier, rue par rue, station de métro par station de métro.

— L'aiguille dans la botte de foin.

— Les années ont passé. Je vivotais toujours de mon héritage. À part le loyer et la nourriture, je n'avais aucune dépense. Je n'avais besoin d'aucun divertissement ; quand je ne dormais pas, je n'avais d'autre activité que marcher dans Paris.

— La police ne vous a pas inquiété ?

— Non. La victime n'avait pas porté plainte, je pense.

— Quelle erreur de sa part !

— Et quel paradoxe : ce n'était pas le criminel qui était recherché, mais la victime.

— Pourquoi la recherchiez-vous ?

— Par amour.

— Quand on voit ce que certaines personnes appellent amour, on a envie de vomir.

— Attention : si vous vous aventurez sur ce registre, vous allez avoir droit à une dissertation sur l'amour.

— Non, par pitié.

— C'est bon pour cette fois. Il y a dix ans, soit dix années après le viol, je me baladais dans le XXe arrondissement, en mangeant un hot dog de derrière les fagots — et que vois-je, boulevard de Ménilmontant ? Elle ! Elle, à n'en pas douter. Je l'aurais reconnue entre quatre milliards de femmes. La brutalité sexuelle, ça crée des liens. Dix années n'avaient réussi qu'à la rendre encore plus belle, fine, déchirante. Je me mis à la courser. Dira-t-on assez la mauvaise fortune qui consiste à être en train de bouffer une saucisse chaude pleine de moutarde le jour où, après dix années de traversée du désert, on retrouve sa bien-aimée ? Je la suivais en avalant de travers.

— Il fallait jeter votre casse-croûte.

— Vous êtes fou. On voit bien que vous ne connaissez pas les hot dogs du boulevard de Ménilmontant : ça ne se jette pas. Si je m'en étais débarrassé, j'en aurais voulu à la dame de mes pensées et mon amour serait devenu moins pur. Inconsciemment, je lui aurais reproché la perte de ma saucisse.

— Passons sur ces considérations d'une profondeur vertigineuse.

— Je suis le seul homme assez sincère pour dire des choses pareilles.

– Bravo. La suite.

– Vous voyez, mon récit vous passionne ! Je savais bien que vous seriez mordu tôt ou tard. Devinez ce que ma bien-aimée allait faire ?

– S'acheter un hot dog ?

– Non ! Le vendeur de saucisses est situé juste en face du Père-Lachaise, où elle se rendait. J'aurais dû m'en douter : puisque je l'avais dégoûtée du cimetière de Montmartre, il avait bien fallu qu'elle se rabatte sur une autre nécropole. Le viol ne lui avait pas fait perdre le noble goût des cimetières. Celui de Montparnasse étant trop moche, elle avait élu le Père-Lachaise, qui serait sublime s'il n'était encombré de tant de vivants.

– Ce qui y rend les viols nettement plus difficiles.

– Eh oui. Où va-t-on si on ne peut même plus assouvir ses pulsions dans les cimetières ?

– Tout fout le camp, mon bon monsieur.

– Je la suivis donc parmi les tombes. Cela me rappelait des souvenirs. Elle prit une allée qui montait. J'admirais sa démarche d'animal sur le qui-vive. Quand j'eus fini le hot dog, je la rejoignis. Mon cœur battait à tout rompre. Je lui dis : « Bonjour ! Est-ce que vous me reconnaissez ? » Elle s'excusa poliment en répondant par la négative.

– Comment est-il possible qu'elle ne vous ait pas reconnu ? Aviez-vous tant changé en dix ans ?

– Je ne sais pas. Je ne me suis jamais beaucoup regardé. Mais son attitude n'était pas si incroyable, vous savez. Quel souvenir garde-t-on d'un violeur ? Pas forcément celui de son visage. Je la regardais avec tant d'amour que je devais sembler très aimable. Elle me sourit. Ce sourire ! J'en eus la poitrine défoncée. Elle me demanda où nous nous étions rencontrés. J'affectai de le prendre sur le mode de la devinette. Elle dit : « Avec mon mari, je sors souvent. Je suis incapable de retenir le visage des gens que je croise. »

– Elle s'était donc mariée.

– Nous avons bavardé. Elle surmontait sa timidité avec beaucoup de grâce. Le plus drôle était que je ne connaissais toujours pas son prénom. Je n'allais quand même pas le lui demander, alors que c'était elle qui était censée deviner mon identité. Elle finit par me dire : « Je donne ma langue au chat. »

– Et qu'avez-vous répondu à la pauvre souris ?

– Texel. Textor Texel.

– J'aurais dû m'en douter.

– Elle s'est excusée à nouveau : « Ce nom ne me dit rien. » J'ai ajouté que j'étais hollandais. Elle m'écoutait avec une politesse charmante.

– Elle a eu droit à la totale, elle aussi ? La bouffe des matous, la mort de votre petit camarade de classe, le jansénisme ? Rien ne lui aura été épargné, à la malheureuse.

– Non. Car il y a eu un miracle. Elle a eu l'air de se souvenir : « Oui, monsieur Texel. C'était à Amsterdam, dans un restaurant.

J'avais accompagné mon mari à ce déjeuner d'affaires » – j'étais un peu dégoûté de penser que son époux avait des déjeuners d'affaires mais je n'allais pas laisser passer cette occasion inespérée de lui inspirer confiance.

— Je trouve incroyable qu'elle ait pu oublier son agresseur.

— Attendez. Elle m'a demandé comment allait ma femme, une certaine Lieve, avec laquelle elle avait sympathisé pendant ce fameux déjeuner qui remontait à trois ou quatre années auparavant. Pris de court, j'ai répondu qu'elle allait très bien et qu'elle vivait avec moi à Paris désormais.

— C'est un vaudeville, votre histoire.

— Alors elle nous a invités, ma femme et moi, à venir prendre le thé chez elle le lendemain après-midi. Vous vous rendez compte ? Être convié par sa victime à prendre le thé ! C'était tellement incongru que j'ai accepté. Le bon côté de l'affaire, c'est qu'elle me donna son adresse, sinon son nom que j'étais censé connaître.

— Et vous y êtes allé ?

— Oui, après une nuit blanche. J'étais indiciblement heureux de l'avoir retrouvée, je ne parvenais même pas à m'inquiéter. Par ailleurs, j'espérais qu'il y aurait son nom sur la porte de son appartement, comme c'est souvent le cas, histoire de connaître enfin son identité. Hélas, le lendemain, aucun nom près de la sonnette. Elle m'a ouvert. Son visage s'est d'abord éclairé puis assombri. « Vous n'êtes pas venu avec Lieve ! » Je lui ai raconté que ma femme était souffrante. Elle m'a installé au salon et est allée préparer le thé. J'ai pensé alors qu'elle n'avait pas de boniche et que ça m'arrangeait bien, de me retrouver seul avec elle dans son appartement.

— Vous aviez l'intention de la violer à nouveau ?

– Il ne faut pas rééditer ce qui a été trop parfait. On ne pourrait qu'être déçu. Cela dit, si elle me l'avait proposé...

– En ce cas, ce n'aurait pas été un viol.

– Logique implacable. Voyez-vous, ma très courte expérience me donne l'intuition qu'avec le consentement de l'autre, le sexe doit être un jeu un peu fade.

– Vous parlez *ex cathedra*.

– Mettez-vous à ma place. Je n'ai baisé qu'une fois et c'était un viol. Je ne connais du sexe que sa violence. Enlevez au sexe sa violence : que reste-t-il ?

– L'amour, le plaisir, la volupté...

– Oui : des choses mièvres, quoi. Je ne me suis jamais nourri que de tabasco et vous me proposez des gâteaux de riz.

– Oh, moi, je ne vous propose rien !

– Elle non plus, d'ailleurs, elle ne me proposait rien.

– Ça règle la question.

— En effet. C'était comique, se faire servir une tasse de thé par sa victime polie et charmante, dans son joli salon. « Encore un peu de thé, monsieur Texel ? – Appelez-moi Textor. » Hélas, elle n'eut pas la bonne idée de me révéler son prénom en retour. « Aimez-vous Paris ? » Nous discutions très civilement. Je me régalais de son visage.

— Incroyable, qu'elle ne vous ait pas reconnu.

— Attendez. À un moment, elle a dit quelque chose de drôle, et j'ai ri. J'ai ri à gorge déployée. Et là, je l'ai vue changer de figure. Ses yeux sont devenus polaires et se sont figés sur mes mains, comme si elle les reconnaissait également. Il faut supposer que j'ai un rire caractéristique.

— Il faut aussi supposer que vous aviez ri en la violant, ce qui est un comble.

— Le comble du bonheur, oui. Elle a dit d'une voix glaciale : « C'est vous. » J'ai dit : « Oui, c'est moi. Je suis soulagé que vous ne

71

m'ayez pas oublié. » Elle m'a d'abord longtemps regardé avec haine et horreur. Après
un silence interminable, elle a repris : « Oui,
c'est bien vous. » J'ai dit : « D'un cimetière
l'autre, à dix ans d'intervalle. Je n'ai jamais
cessé de penser à vous. Depuis dix ans, ma
vie entière est consacrée à vous chercher. »
Elle a dit : « Depuis dix ans, ma vie entière
est consacrée à vous effacer de ma mémoire. »
J'ai dit : « Ça n'a pas marché. » Elle a dit :
« J'avais réussi à oublier votre visage mais
votre ignoble rire a ressuscité le souvenir. Je
n'ai jamais parlé de vous ni de ce qui m'était
arrivé à personne, afin de mieux vous enter-
rer. Je me suis mariée et je m'efforce de vivre
de façon outrageusement normale pour me
préserver de la folie où vous m'avez plongée.
Pourquoi faut-il que vous réapparaissiez dans
mon existence juste au moment où j'étais en
train de guérir ? »

   – Oui, c'est vrai, pourquoi ?

— J'ai dit : « Par amour. » Elle a eu un haut-le-cœur.

— Comme je la comprends.

— J'ai dit : « Je vous aime. Je n'ai touché ni même voulu une autre femme que vous. J'ai fait l'amour une seule fois dans ma vie et c'était avec vous. » Elle a dit que ça ne s'appelait pas faire l'amour. J'ai dit : « Je n'ai jamais cessé de vous parler dans ma tête. Vais-je enfin avoir mes réponses ? » Elle a dit non. Elle m'a ordonné de partir. Bien entendu, je ne lui ai pas obéi. J'ai dit : « Rassurez-vous, il est hors de question que je vous viole à nouveau. » Elle a dit : « Il est hors de question que vous me violiez, en effet. Nous ne sommes plus dans un cimetière mais chez moi. J'ai des couteaux dont je n'hésiterai pas à me servir. » J'ai dit : « Justement, j'étais venu ici pour ça. »

— Pardon ?

— Elle a réagi comme vous. J'ai dit : « Je voulais vous revoir pour deux raisons.

73

D'abord pour connaître enfin votre prénom.
Ensuite pour que vous vous vengiez. » Elle a
dit : « Vous n'aurez ni l'un ni l'autre. Sortez. »
J'ai dit que je ne sortirais pas sans avoir mon
dû. Elle a dit que rien ne m'était dû. J'ai dit :
« N'avez-vous donc pas de désir de vengeance ? » Elle a dit : « Je vous souhaite tout
le mal de l'univers mais je ne veux pas m'en
mêler. Je veux que vous disparaissiez de mon
existence pour toujours. » J'ai dit : « Enfin,
ça ne vous ferait pas du bien, de me tuer ?
C'est pour le coup que je disparaîtrais de
votre existence ! » Elle a dit : « Ça ne me ferait
aucun bien et vu les ennuis que j'aurais
ensuite avec la justice, ça vous incrusterait
encore davantage dans ma vie. »

— Pourquoi n'a-t-elle pas appelé la police ?

— Je ne l'aurais pas laissée faire. De toute
façon, ça ne semblait pas son souhait : elle
avait eu dix années pour avertir la police et
n'avait pas usé de ce recours.

— Pourquoi ?

— Elle ne voulait parler de ce viol à personne dans l'espoir qu'il quitte sa mémoire.

— Elle était forcée de constater son erreur puisque le violeur l'avait retrouvée.

— Moi, je ne voulais pas de cette justice au rabais. Je voulais une justice de première main, celle qu'elle aurait rendue elle-même en me tuant.

— Vous vouliez qu'elle vous tue ?

— Oui. J'en avais besoin.

— Vous êtes un fou furieux.

— Je ne trouve pas. Pour moi, un fou, c'est un être dont les comportements sont inexplicables. Je peux vous expliquer tous les miens.

— Vous êtes bien le seul.

— Cela me suffit amplement.

— Si vous aviez tant besoin de mourir pour expier, pourquoi ne vous suicidiez-vous pas ?

— Quel est ce charabia romantique ? D'abord, je n'avais pas besoin de mourir, j'avais besoin d'être tué.

75

– Cela revient au même.

– La prochaine fois que vous aurez envie de faire l'amour, on devrait vous dire : « Masturbez-vous. Cela revient au même. » Ensuite, où allez-vous chercher que je désirais expier ? Cela laisserait supposer que je regrettais ce viol, qui fut l'unique acte digne de ce nom de mon existence.

– Si vous n'aviez aucun remords, pourquoi vouliez-vous qu'elle vous tue ?

– Je voulais qu'elle ait sa part. Je voulais ce que veut tout amoureux : la réciprocité.

– En ce cas, il aurait été plus logique de vouloir qu'elle vous viole.

– Certes. Mais à l'impossible nul n'est tenu. Je ne pouvais pas espérer ça. Être assassiné par elle, c'était une solution de remplacement.

– Comme s'il y avait une équivalence entre le sexe et le meurtre. C'est ridicule.

– C'est pourtant ce qu'affirment des savants très éminents.

— Le pire, c'est que vous êtes prétentieux jusque dans vos dérèglements mentaux.

— Quoi qu'il en soit, nous parlons dans le vide puisqu'elle ne voulait pas me tuer. Ce ne fut pas faute d'insister : je trouvai cent arguments pour la persuader. Tous rejetés. J'ai fini par lui demander si ce n'étaient pas ses convictions religieuses qui lui interdisaient de se venger. Elle a dit qu'elle n'en avait aucune. J'ai dit : « Enfin, quand on n'a pas de religion, on est libre de faire ce qu'on veut ! » Elle a dit : « Ce que je veux, ce n'est pas vous tuer. Je voudrais que vous soyez en prison à perpétuité, hors d'état de nuire, et que vos compagnons de cellule vous en fassent baver. » J'ai dit : « Pourquoi ne pas vous en charger vous-même ? Pourquoi déléguer ses désirs ? » Elle a dit : « Je ne suis pas d'un naturel violent. » J'ai dit : « Je suis déçu. » Elle a dit : « Je suis contente de vous décevoir. »

– Vous me donnez le tournis avec vos « j'ai dit... elle a dit... j'ai dit... elle a dit... ».

– Dans la Genèse, quand Dieu vient interroger Adam après le coup du fruit interdit, c'est comme ça que le pleutre retrace le comportement de sa femme : « J'ai dit... elle a dit... » Pauvre Ève.

– Pour une fois, nous sommes d'accord.

– Nous le sommes beaucoup plus que vous ne l'imaginez. J'ai dit : « En ce cas, qu'est-ce que vous proposez ? » Elle a dit : « Disparaissez à jamais. » J'ai dit : « On ne peut pas se quitter comme ça ! » Elle a dit : « On le peut et on le doit. » J'ai dit : « Il n'en est pas question. Je vous aime trop pour ça. J'ai besoin qu'il se passe quelque chose. » Elle a dit : « Je me fiche de vos besoins. » J'ai dit : « Vous n'auriez pas dû dire ça. Ce n'est pas gentil. » Elle a ri.

– Il y avait de quoi.

– J'ai dit : « Vous me décevez. » Elle a dit : « Vous ne manquez pas d'air. Non seulement vous me violez, mais en plus il faudrait que je sois à la hauteur de vos attentes ? » J'ai dit : « Et si je vous aidais à me tuer ? Vous verrez, je me montrerai très coopératif. » Elle a dit : « Je ne verrai rien. Vous allez partir, maintenant. » J'ai dit : « Au début, vous évoquiez des couteaux. Où sont-ils ? » Elle n'a pas répondu. Je suis allé dans la cuisine et j'ai trouvé un grand couteau.

— Pourquoi n'a-t-elle pas essayé de s'enfuir ?

— Je la tenais fermement d'une main. De l'autre, j'ai placé le couteau dans son poing. J'ai mis la lame contre mon ventre, j'ai dit : « Allez-y. » Elle a dit : « Pas question. Vous seriez trop content. » J'ai dit : « Ne le faites pas pour moi, faites-le pour vous. » Elle a dit : « Je vous répète que je n'en ai aucune envie. » J'ai dit : « Alors faites-le sans en avoir envie, pour me plaire. » Elle a rigolé : « Plutôt crever que vous plaire ! » J'ai dit : « Attention, je pourrais vous prendre au mot. » Elle a dit :

« Je n'ai pas peur de vous, espèce de détraqué ! » J'ai dit : « Il faut que ce couteau serve, en êtes-vous consciente ? Il faut que du sang soit répandu. Comprenez-vous ? » Elle a dit : « Il ne faut jamais rien. » J'ai dit : « Il le faut ! » et je lui ai repris l'arme. Elle a compris mais il était trop tard. Elle a essayé de se débattre. En vain. Elle n'était pas costaude. J'ai enfoncé la lame dans son ventre. Elle n'a pas crié. J'ai dit : « Je vous aime. Je voulais seulement connaître votre prénom. » Elle est tombée en murmurant avec un rictus : « Vous avez une singulière façon de demander aux gens comment ils s'appellent. » C'était une mourante très civilisée. J'ai dit : « Allez, dites-le ! » Elle a dit : « Plutôt mourir. » Ce furent ses dernières paroles. De rage, j'ai lacéré son giron de coups de couteau. Peine perdue, elle avait gagné : elle était morte sans que je puisse la nommer.

Il y eut un silence. Jérôme Angust semblait avoir reçu un coup sur la tête. Textor Texel reprit :

— Je suis parti en emportant le couteau. Sans le vouloir, j'avais commis le crime parfait : personne ne m'avait vu venir, à part la victime. Je n'avais pas dû laisser d'empreintes suffisantes pour me retrouver. La preuve, c'est que je suis toujours en liberté. Le lendemain, dans le journal, j'ai enfin eu la réponse à ma question. On avait découvert, dans l'appartement que désormais je connaissais, le cadavre d'une certaine Isabelle. Isabelle ! J'étais ravi.

Il y eut à nouveau un silence.

— Cette fille, je la connaissais mieux que personne. Je l'avais violée, ce qui n'est déjà pas mal ; je l'avais assassinée, ce qui reste la meilleure méthode pour découvrir intimement quelqu'un. Mais il me manquait une pièce maîtresse du puzzle : son prénom. Cette lacune m'avait été insupportable. J'avais été, pendant dix années, dans la situation d'un lecteur obsédé par un chef-d'œuvre, par un livre clé qui aurait donné un sens à sa vie, mais dont il aurait ignoré le titre.

Silence.

– Et là, je découvrais le titre de l'œuvre adorée : son prénom. Et quel prénom ! Pendant toutes ces années, j'avoue avoir eu peur à l'idée que la dame de mes pensées pût s'appeler Sandra, Monique, Raymonde ou Cindy. Ouf, suprême ouf, elle portait un prénom ravissant, musical, aimable et limpide comme de l'eau de source. Un prénom, c'est déjà quelque chose, disait l'infortuné Luc Dietrich. On a déjà tant à aimer quand on ne sait de l'aimée que son prénom. Je savais son prénom, son sexe et sa mort.

– Et vous appelez ça connaître quelqu'un ? dit Angust d'une voix de haine démesurée.

– J'appelle même cela aimer quelqu'un. Isabelle fut aimée et connue mieux que quiconque.

– Pas par vous.

– Par qui, sinon par moi ?

— Ne vous viendrait-il pas à l'esprit, espèce de détraqué, que connaître quelqu'un c'est vivre avec lui, parler avec lui, dormir avec lui, et non le détruire ?

— Oh là là, nous allons au-devant de grands et graves lieux communs. Votre prochaine réplique, c'est : « Aimer, c'est regarder ensemble dans la même direction. »

— Taisez-vous !

— Qu'avez-vous, Jérôme Angust ? Vous tirez une de ces têtes !

— Vous le savez bien.

— Ne faites pas votre chochotte. Estimez-vous heureux : je ne vous ai pas raconté les détails du meurtre. Bon sang, ces gens qui n'ont tué personne sont d'une sensiblerie !

— Saviez-vous que le 24 mars 1989 était le vendredi saint ?

— Et moi qui vous croyais irréligieux ?

— Je le suis. Vous pas. Je suppose que vous n'avez pas choisi votre date au hasard.

— Je vous jure que si. Il y a de ces coïncidences.

— J'étais certain que le salaud qui avait fait ça avait des préoccupations mystiques. Je ne sais pas ce qui me retient de vous sauter à la gorge.

— Pourquoi prenez-vous tellement à cœur le sort d'une inconnue morte il y a dix ans ?

— Arrêtez votre cinéma. Depuis combien de temps me poursuivez-vous ?

— Quel narcissisme ! Comme si je vous poursuivais !

— Au début, vous avez tenté de me faire avaler que vous vous en preniez à des quidams, histoire de les harceler pour votre plaisir.

— C'est la vérité.

— Ah bon. S'agit-il toujours d'individus dont vous avez assassiné la femme ?

— Comment ? Vous étiez le mari d'Isabelle ?

— Comme si vous l'ignoriez !

– Et moi qui parlais de coïncidences !

– Assez ! Il y a dix ans, vous avez tué celle qui était ma raison de vivre. Et vous trouvez le moyen de me démolir encore plus, non seulement en me racontant ce meurtre, mais aussi en m'apprenant ce viol d'il y a vingt ans, dont j'ignorais tout.

– Comme les hommes sont égoïstes ! Si vous aviez mieux observé Isabelle, vous auriez su ce qu'elle vous cachait.

– Je voyais qu'il y avait en elle quelque chose de détruit. Elle ne voulait pas en parler.

– Et ça vous arrangeait bien.

– Je n'ai pas de leçon de morale à recevoir de vous.

– C'est là que vous vous trompez. Moi, au moins, j'agis avec courage.

– Ah oui. Le viol, l'assassinat, des actes de grand courage, surtout perpétrés sur la personne d'une frêle jeune femme.

– Et vous, vous savez que j'ai tué et violé Isabelle – et vous ne faites rien.

— Que voulez-vous que je fasse ?

— Il y a quelques minutes, vous parliez de me sauter à la gorge.

— C'est ça que vous voudriez ?

— Oui.

— Je ne vous ferai pas ce plaisir. Je vais appeler la police.

— Lâche ! Pauvre Isabelle ! Vous ne la méritiez pas.

— Elle méritait encore moins d'être violée et assassinée.

— Moi au moins, je vais jusqu'au bout de mes actes. Vous, tout ce dont vous êtes capable, c'est d'appeler la police. La vengeance par procuration !

— Je me rallie au choix d'Isabelle.

— Faux cul ! Isabelle avait le droit de ne pas me châtier, parce qu'elle était la victime. Vous n'avez pas cette liberté. On ne peut pardonner que quand on est l'offensé.

— Il ne s'agit en aucun cas de vous pardonner. Il s'agit de ne pas se rendre justice soi-même.

— Voyez les beaux mots civiques derrière lesquels il cache sa lâcheté !

— Vous avez déjà détruit ma vie. Hors de question que je la finisse en prison par votre faute.

— Comme tout cela est bien calculé ! Aucune prise de risque. On ne se met pas en danger. Isabelle, vous étiez mariée à un homme qui vous aimait avec passion !

— Je suis contre la peine de mort.

— Pauvre nouille ! On lui parle d'amour et il répond comme s'il participait à un débat de société.

— Il faut plus de courage que vous ne le pensez pour être contre la peine de mort.

— Qui vous parle de peine de mort, abruti ? J'imagine que vous êtes contre le vol ; il n'empêche que, si vous tombiez sur une mallette pleine de dollars, vous ne seriez pas assez stupide pour ne pas la prendre. Sautez sur l'occasion, espèce de larve !

— Il n'y a aucun point de comparaison. Vous tuer ne me rendrait pas ma femme.

— Mais ça contenterait un besoin sourd et profond dans vos tripes, ça vous soulagerait !

— Non.

— Qu'est-ce qui coule dans vos veines ? De la tisane ?

— Je n'ai rien à vous prouver, monsieur. Je vais chercher la police.

— Et vous supposez que je serai encore là à votre retour ?

— J'ai eu le temps de vous observer. Je donnerai un signalement très précis.

— Mettons qu'ils me rattrapent. À votre avis, qu'est-ce qui se passe ? Contre moi, vous n'avez que mon récit. Personne ne l'a entendu à part vous. Je n'ai pas l'intention de le répéter à la police. Bref, vous n'avez rien.

— Des empreintes d'il y a dix ans.

— Vous savez pertinemment que je n'en ai pas laissé.

— Il a dû rester de vous quelque chose, un cheveu, un cil, sur les lieux du crime.

— Ce genre de test d'ADN ne se pratiquait pas il y a dix ans. Ne vous obstinez pas, mon vieux. Je ne veux pas être pris par la police et il n'y a aucun risque que cela m'arrive.

— Je ne vous comprends pas. Vous semblez avoir besoin d'un châtiment : pourquoi pas une peine officielle et légale ?

— Je ne crois pas en cette justice-là.

— C'est regrettable : il n'y en a pas d'autre.

— Bien sûr qu'il y en a une autre. Vous m'emmenez aux toilettes et vous m'y réglez mon compte.

— Pourquoi aux toilettes ?

— Vous semblez ne pas vouloir être pincé par la police. Autant me tuer à l'abri des regards.

— Si on retrouvait votre cadavre aux toilettes, il y aurait mille témoins pour nous avoir vus en grande conversation auparavant. Vous m'avez abordé avec une discrétion rare.

– Je constate avec plaisir que vous
commencez à examiner la faisabilité de la
chose.

– Pour mieux vous démontrer l'inanité de
vos projets.

– Vous oubliez un détail qui vous facili-
tera la tâche : c'est que je ne vous opposerai
aucune résistance.

– Il y a quand même un élément de
l'affaire qui m'échappe : pourquoi voulez-
vous que je vous supprime ? Qu'est-ce que
vous avez à y gagner ?

– Vous l'avez dit il y a quelques minutes :
j'ai besoin d'un châtiment.

– Ça, je ne comprends pas.

– Il n'y a rien à comprendre.

– Ce n'est pas banal. La planète fourmille
de criminels qui, au contraire, fuient leur
châtiment. Cette attitude me paraît plus
logique.

– C'est qu'ils ne ressentent pas de culpabilité.

– Vous disiez tout à l'heure que vous n'aviez aucun remords d'avoir violé ma femme.

– Exact. Parce que ça m'avait plu. En revanche, j'ai détesté la tuer. Et j'en éprouve une culpabilité insupportable.

– Alors, si vous aviez pris du plaisir à la tuer, vous n'auriez pas de remords ?

– C'est comme ça que je fonctionne.

– C'est votre problème, mon vieux. Il fallait y réfléchir avant.

– Comment aurais-je pu le savoir, avant, que ça ne me plairait pas de la tuer ? Pour savoir si l'on aime ou non telle ou telle chose, encore faut-il avoir essayé.

– Vous en parlez comme d'un aliment.

– À chacun sa morale. Je juge les actes à l'aune de la jouissance qu'ils donnent. L'extase voluptueuse est le but souverain de l'existence, et ne demande aucune justification. Mais le crime sans plaisir, c'est du mal gratuit, de la nuisance sordide. C'est indéfendable.

– Et ce qu'en pense la victime, vous en tenez compte ?

– Max Stirner, *L'Unique et sa propriété*, ça vous dit quelque chose ?

– Non.

– Ça ne m'étonne pas. C'est le théoricien de l'égoïsme. L'autre n'existe que pour mon plaisir.

– Magnifique. Les gens qui pensent ça, il faut les enfermer.

– « La vraie morale se moque de la morale. » Ça, c'est de Pascal. Vive le jansénisme !

– Le pire, avec vous, c'est que vous trouvez des prétextes intellectuels à vos actions lamentables et sadiques.

– Si je suis si détestable, tuez-moi.

– Je ne le veux pas.

– Qu'est-ce que vous en savez ? Vous n'avez jamais essayé. Vous allez peut-être adorer.

– Votre morale ne sera jamais la mienne. Vous êtes un fou furieux.

– Cette manie de qualifier de fous ceux que l'on ne comprend pas ! Quelle paresse mentale !

– Un type qui a besoin que je le tue pour un problème de culpabilité, c'est un dingue. Vous disiez tout à l'heure qu'un fou est un être dont les comportements sont inexplicables. Eh bien, votre besoin de châtiment est inexplicable : il ne colle absolument pas avec votre morale de l'égoïsme pur et dur.

– Ce n'est pas certain. Je n'ai jamais été tué par quelqu'un. C'est peut-être très agréable. Il ne faut pas préjuger des sensations que l'on ne connaît pas.

– Imaginez que ce soit désagréable : ce serait irrémédiable.

– Même si c'est désagréable, cela ne durera qu'un moment. Et après...

– Oui, après ?

— Après, c'est identique : je n'ai jamais été mort. C'est peut-être formidable.

— Et si ce ne l'est pas ?

— Mon vieux, un jour ou l'autre ça m'arrivera, de toute façon. Vous voyez : c'est aussi bien conçu que le pari de Pascal. J'ai tout à y gagner, rien à y perdre.

— La vie ?

— Je connais. C'est surfait.

— Comment expliquez-vous que tant de gens y tiennent ?

— Ce sont des gens qui ont, dans ce monde, des amis et des amours. Je n'en ai pas.

— Et pourquoi voudriez-vous que moi, qui vous méprise au dernier degré, je vous rende ce service ?

— Pour assouvir votre désir de vengeance.

— Mauvais calcul. Vous seriez arrivé deux jours après le meurtre, je vous aurais sans doute démoli. En venant dix ans plus tard, il fallait prévoir que ma haine aurait refroidi.

— Si j'étais venu deux jours après les faits, l'enquête policière demeurait possible. Le délai de dix ans me plaisait d'autant plus qu'il équivalait à celui séparant le viol de l'assassinat. Je suis un criminel qui a le sens des anniversaires. Puis-je attirer votre attention sur la date d'aujourd'hui ?

— Nous sommes le... 24 mars !

— Vous n'y avez pas pensé ?

— J'y pense chaque jour, monsieur, pas seulement chaque 24 mars.

— J'avais le choix entre le 4 octobre, date du viol, et le 24 mars, date du meurtre. J'ai pensé qu'entre vous et moi, ce ne serait certainement pas un viol.

— Vous m'en voyez soulagé.

— Il y avait plus de chances que ce soit un meurtre. Certes, j'eusse préféré que les trois dates coïncidassent : c'eût été d'une classe ! À dix ans d'intervalle, chaque 4 octobre ou chaque 24 mars ! Hélas, la vie n'est pas aussi parfaite que nous le souhaiterions.

– Pauvre maniaque.

– Vous disiez que votre haine avait refroidi en dix ans. Rassurez-vous : vous pouvez compter sur moi pour la réchauffer.

– C'est inutile. Je ne vous tuerai pas.

– C'est ce que nous verrons.

– C'est tout vu.

– Chiffe molle !

– Ça vous énerve, hein ?

– Vous n'allez quand même pas laisser un tel crime impuni !

– Qui me dit que c'est vous ? Vous êtes assez malade pour avoir inventé cette histoire.

– Vous doutez de moi ?

– À fond. Vous n'avez aucune preuve de ce que vous avancez.

– C'est le comble ! Je peux vous décrire Isabelle par le menu.

– Ça ne prouve rien.

– Je peux vous donner d'elle des détails intimes.

— Cela prouvera que vous l'avez connue intimement, non que vous l'avez violée et assassinée.

— Je peux prouver que je l'ai assassinée. Je sais très précisément dans quelle position vous avez découvert le corps et où ont été portés les coups de couteau.

— Vous avez pu obtenir ces détails de la bouche de l'assassin.

— Vous allez me rendre fou !

— C'est déjà fait.

— Pourquoi irais-je m'accuser d'un crime que je n'aurais pas commis ?

— Allez savoir, avec un cinglé de votre espèce. Pour le plaisir d'être tué par moi.

— Il ne faut pas oublier que c'est mon sentiment de culpabilité qui m'a inspiré le besoin d'être tué par vous.

— Si c'était vrai, vous ne vous en vanteriez pas tant. Le remords est une faute supplémentaire.

— Vous citez Spinoza !

— Vous n'êtes pas le seul à avoir des lettres, monsieur.

— Je n'aime pas Spinoza !

— C'est normal. Je l'aime beaucoup.

— Je vous ordonne de me tuer !

— Ne pas aimer Spinoza n'est pas une raison suffisante pour que je vous tue.

— J'ai violé et tué votre femme !

— Vous dites ça à chaque malheureux que vous venez harceler dans un aéroport ?

— Vous êtes le premier, le seul à qui j'ai réservé ce sort.

— C'est trop d'honneur. Hélas, je n'en crois rien : votre mécanique est trop bien rodée pour que ce soit la première fois. Ça sent son harceleur patenté.

— Ne voyez-vous pas que vous êtes l'élu ? Un être aussi janséniste que moi n'accepterait pas d'être tué par quelqu'un dont il n'aurait pas violé et assassiné la femme.

— Qui espérez-vous convaincre avec un argument aussi tordu ?

— Vous êtes tellement lâche ! Vous essayez de vous persuader que je ne suis pas l'assassin afin de ne pas avoir à me tuer !

— Je regrette. Aussi longtemps que vous n'aurez pas une vraie preuve matérielle de votre acte, je n'aurai aucune raison de vous croire.

— Je sais où vous voulez en venir ! Vous espérez qu'il existe une preuve matérielle qui vous servira d'argument pour me dénoncer à la police. Car, sans cette preuve, vous n'avez rien contre moi. Désolé, pauvre lâche, il n'y a aucune pièce à conviction. Avec la police, ce serait votre parole contre la mienne. Justice sera rendue par vos mains ou alors ne sera pas rendue : mettez-vous ça dans le crâne une fois pour toutes.

— Il n'y a rien de juste à se venger d'un fou qui se prétend assassin. Vous affirmiez aussi avoir tué votre petit camarade de classe, quand vous vous étiez contenté d'avoir prié contre lui ; je vois le genre de meurtrier que vous êtes.

— Et l'arme du crime, vous continuez à penser que c'est l'assassin qui me l'a fourguée ? Pourquoi vous obstinez-vous à croire des choses aussi tordues quand la vérité est si simple ?

— Je suis à l'aéroport, j'apprends que mon avion est retardé. Un type s'assied à côté de moi et commence à me baratiner. Après des confidences assommantes, il me révèle, au détour d'une phrase, qu'il a violé ma femme il y a vingt ans et qu'il l'a tuée il y a dix ans. Et vous trouveriez naturel que je gobe ça ?

— En effet. C'est que votre version est très inexacte.

— Ah ?

— Quand avez-vous appris que vous partiez en voyage d'affaires à Barcelone ce 24 mars ?

— Ça ne vous regarde pas.

— Vous ne voulez pas le dire ? Je le dirai donc. Il y a deux mois, votre chef a reçu un coup de téléphone de Barcelone, lui parlant de nombreux marchés intéressants et d'une assemblée générale le 24 mars. Vous vous doutez de l'identité de ce Catalan, aussi catalan que vous et moi, et qui appelait de chez lui, à Paris.

— Le nom de mon chef ?

— Jean-Pascal Meunier. Vous ne me croyez toujours pas ?

— Tout ce que ça prouve, c'est que vous êtes un emmerdeur. Ça, je le savais déjà.

— Un emmerdeur efficace, non ?

— Disons plutôt un emmerdeur bien renseigné.

— Efficace, je maintiens : n'oubliez pas le coup du retard d'avion.

— Quoi ? Ça aussi, c'est vous ?

— Benêt, c'est maintenant que vous le comprenez ?

— Comment avez-vous fait ?

— Comme avec votre chef : un coup de téléphone. D'une cabine de l'aéroport, j'ai appelé pour dire qu'une bombe était dissimulée dans l'appareil. C'est fou ce que l'on peut nuire, de nos jours, avec un bête coup de fil !

— Vous savez que je pourrais vous dénoncer à la police pour ça ?

— Je sais. À supposer que vous les en persuadiez, j'en serais quitte pour une très grosse amende.

— Une énorme amende, monsieur.

— Et ça suffirait à vous venger du viol et du meurtre de votre femme, que je m'en tire avec du fric ?

— Vous avez tout prévu, espèce d'ordure.

— Je suis content de vous voir revenir à de meilleurs sentiments.

— Attendez. Ça vous sert à quoi, ce retard d'avion ?

— Et si vous réfléchissiez, pour une fois ? Vous voyez bien que cet échange ne pouvait avoir lieu que dans la salle d'attente d'un aéroport. Il fallait un endroit où je puisse vous coincer. Vous deviez prendre cet avion, vous ne pouviez pas vous permettre de partir !

— Maintenant, je sais que c'est du bidon, donc je peux partir.

— À présent, vous pouvez savoir que c'est du bidon. Mais vous ne pouvez pas laisser filer celui qui a détruit votre vie.

— Et pourquoi avez-vous mis tant de temps à me le dire ? Pourquoi vous êtes-vous embarqué dans vos histoires de pâtée pour chats, au lieu d'arriver et de déclarer d'entrée de jeu : « Je suis l'assassin de votre femme » ?

— Ça ne se fait pas. Je suis quelqu'un d'extrêmement formaliste. J'agis en fonction d'une cosmétique rigoureuse et janséniste.

— Qu'est-ce que les produits de beauté viennent faire là-dedans ?

— La cosmétique, ignare, est la science de l'ordre universel, la morale suprême qui détermine le monde. Ce n'est pas ma faute si les esthéticiennes ont récupéré ce mot admirable. Il eût été anticosmétique de

débarquer en vous révélant d'emblée votre
élection. Il fallait vous la faire éprouver par
un vertige sacré.

– Dites plutôt qu'il fallait m'emmerder à
fond !

– Ce n'est pas faux. Pour convaincre un
élu de sa mission, il faut en passer par ses
nerfs. Il faut mettre les nerfs de l'autre à vif,
afin qu'il réagisse vraiment, avec sa rage, et
non avec son cerveau. Je vous trouve d'ailleurs encore beaucoup trop cérébral. C'est à
votre peau que je m'adresse, comprenez-vous.

– Pas de chance pour vous : je ne suis pas
aussi manipulable que vous l'espériez.

– Vous croyez encore que je cherche à vous
manipuler, quand je vous montre ce que
serait votre voie naturelle, votre destin cosmétique. Moi, voyez-vous, je suis un coupable. Tous les criminels n'ont pas un sentiment
de culpabilité mais, quand ils l'ont, ils ne
pensent plus qu'à ça. Le coupable va vers son
châtiment comme l'eau vers la mer, comme

l'offensé vers sa vengeance. Si vous ne vous vengez pas, Jérôme Angust, vous resterez quelqu'un d'inaccompli, vous n'aurez pas endossé votre élection, vous ne serez pas allé à la rencontre de votre destin.

— À vous écouter, on croirait que vous vous êtes conduit comme ça dans le seul but d'être châtié un jour.

— Il y a de cela.

— C'est débile.

— On a les criminels qu'on mérite.

— Vous ne pourriez pas être l'une de ces brutes sans conscience, qui tuent sans éprouver le besoin de venir s'expliquer et se justifier ensuite pendant des heures ?

— Vous auriez préféré que votre femme ait été violée et assassinée par un bulldozer de ce genre ?

— J'aurais préféré qu'elle ne soit ni violée ni assassinée. Mais tant qu'à faire, oui, j'aurais préféré une vraie brute à un taré de votre espèce.

– Je vous le répète, cher Jérôme Angust,
on a les criminels qu'on mérite.

– Comme si ma femme avait mérité ça !
C'est odieux, ce que vous dites !

– Pas votre femme : vous !

– C'est encore plus odieux ! Pourquoi s'en
est-on pris à elle plutôt qu'à moi, alors ?

– Votre « on » m'amuse beaucoup.

– Ça vous amuse ? C'est le comble ! Pourquoi souriez-vous comme un crétin, d'ailleurs ? Vous trouvez qu'il y a de quoi rire ?

– Allons, calmez-vous.

– Vous trouvez qu'il y a de quoi être
calme ? Je ne peux plus vous supporter !

– Tuez-moi donc. Vous m'emmenez aux
toilettes, vous me fracassez le crâne contre un
mur et on n'en parle plus.

– Je ne vous ferai pas ce plaisir. Je vais
chercher la police, monsieur. Je suis sûr qu'on
décèlera un moyen de vous coincer. Les ana-
lyses d'ADN n'étaient pas en application il y
a dix ans mais elles le sont aujourd'hui. Je

suis sûr que vous avez laissé un cheveu ou un cil sur les lieux du crime. Cela suffira.

— Bonne idée. Allez chercher la police. Vous croyez que je serai là à votre retour ?

— Vous m'accompagnerez.

— Vous vous imaginez que j'ai envie de vous accompagner ?

— Je vous l'ordonne.

— Amusant. Quel moyen de pression avez-vous sur moi ?

Le sort voulut que deux policiers passent par là à cet instant. Jérôme se mit à hurler : « Police ! Police ! » Les deux hommes l'entendirent et accoururent, ainsi que de nombreux badauds de l'aéroport.

— Messieurs, arrêtez cet homme, dit Angust, en montrant Texel assis à côté de lui.

— Quel homme ? demanda l'un des policiers.

— Lui ! répéta Jérôme en pointant Textor qui souriait.

Les représentants de l'ordre se regardèrent l'un l'autre avec perplexité, puis ils contemplèrent Angust, l'air de penser : « Qu'est-ce que c'est que ce dingue ? »

— Vos papiers, monsieur, dit l'un.

— Quoi ? s'indigna Jérôme. C'est à moi que vous demandez mes papiers ? C'est à lui qu'il faut les demander !

— Vos papiers ! répéta l'homme avec autorité.

Humilié, Angust donna son passeport. Les flics le lurent avec attention puis le lui rendirent en disant :

— C'est bon pour une fois. Mais ne vous moquez plus de nous.

— Et lui, vous ne le contrôlez pas ? insista Jérôme.

— Vous avez de la chance qu'on ne doive pas passer d'alcootest pour prendre l'avion.

Les policiers s'en allèrent, laissant Angust stupéfait et furieux. Tout le monde le dévisageait comme s'il était fou. Le Hollandais se mit à rire.

— Eh bien, tu as compris ? demanda Texel.

— De quel droit me tutoyez-vous ? On n'a pas gardé les cochons ensemble.

Textor hurla de rire. Les gens se pressaient autour d'eux pour regarder et écouter. Angust explosa. Il se leva et se mit à crier à l'adresse des spectateurs :

— Vous avez fini ? Je casse la figure au prochain qui nous observe.

Il dut être convaincant car les badauds s'en allèrent. Ceux qui étaient assis à proximité s'écartèrent. Plus personne n'osa les approcher.

— Bravo, Jérôme ! Quelle autorité ! Moi qui ai gardé les cochons avec toi, je ne t'avais jamais vu dans cet état.

— Je vous interdis de me tutoyer !

— Allons, après tout ce qui nous est arrivé ensemble, tu peux bien me tutoyer toi aussi.

— C'est hors de question.

— Je te connais depuis si longtemps.

Jérôme regarda sa montre.

– Même pas deux heures.

– Je te connais depuis toujours.

Angust scruta le visage du Hollandais avec insistance.

– Textor Texel, c'est un nom d'emprunt ? Étiez-vous à l'école avec moi ?

– Te rappelles-tu avoir eu un petit camarade qui me ressemblait ?

– Non, mais c'était il y a longtemps. Vous avez peut-être beaucoup changé.

– À ton avis, pourquoi la police ne m'a-t-elle pas arrêté ?

– Je ne sais pas. Vous êtes peut-être quelqu'un de très connu en haut lieu.

– Et pourquoi les gens t'ont-ils observé comme un dingue ?

– À cause de la réaction des policiers.

– Tu n'as rien compris, décidément.

– Qu'aurais-je dû comprendre ?

– Qu'il n'y avait personne sur le siège à côté de toi.

– Si vous vous prenez pour l'homme invisible, comment expliquez-vous que, moi, je vous vois ?

– Tu es le seul à me voir. Même moi, je ne me vois pas.

– Je ne comprends toujours pas en quoi vos sphingeries à deux francs cinquante vous autorisent à me tutoyer. Je ne vous le permets pas, monsieur.

– Si on n'a plus le droit de se tutoyer soi-même.

– Que dites-vous ?

– Tu as très bien entendu. Je suis toi.

Jérôme regarda le Hollandais comme un demeuré.

– Je suis toi, reprit Textor. Je suis cette partie de toi que tu ne connais pas mais qui te connaît trop bien. Je suis la partie de toi que tu t'efforces d'ignorer.

– J'avais tort d'appeler la police. C'est l'asile d'aliénés qu'il faut contacter.

— Aliéné à toi-même, c'est vrai. Dès le début de notre conversation, je t'ai tendu des perches énormes. Quand je t'ai parlé de l'ennemi intérieur, je t'ai suggéré que je n'avais peut-être pas d'existence en dehors de toi, que j'étais une invention de ton cerveau. À quoi tu m'as répondu avec superbe que tu n'avais pas d'ennemi intérieur, toi. Mon pauvre Jérôme, tu as l'ennemi intérieur le plus encombrant du monde : moi.

— Vous n'êtes pas moi, monsieur. Vous vous appelez Textor Texel, vous êtes hollandais et vous êtes un emmerdeur de première classe.

— Et en quoi ces belles qualités m'empêchent-elles d'être toi ?

— Une identité, une nationalité, une histoire personnelle, des caractéristiques physiques et mentales, tout cela fait de vous quelqu'un qui n'est pas moi.

— Mon vieux, tu n'es pas difficile, si tu te définis avec des ingrédients aussi indigents.

112

C'est typique du cerveau humain : tu te concentres sur les détails pour ne pas avoir à aborder l'essentiel.

— Enfin, vos récits de bouillie pour les chats, vos mysticolâtries, c'est à des années-lumière de moi.

— Évidemment. Tu avais besoin de m'inventer très différent de toi, pour te persuader que ce n'était pas toi — pas toi du tout — qui avais tué ta femme.

— Taisez-vous !

— Désolé. Je ne me tais plus. Cela fait trop longtemps que je me tais. J'ajouterai que, depuis dix ans, ce silence est devenu encore plus insupportable.

— Je ne veux plus vous entendre.

— C'est pourtant toi qui m'ordonnes de parler. Ces cloisons si étanches que tu as construites dans ta tête ne tiennent plus : elles cèdent. Tu peux t'estimer heureux d'avoir eu droit à ces dix années d'innocence. Ce matin, tu t'es levé et préparé pour partir à Barcelone.

Tes yeux ont lu le calendrier : 24 mars 1999. Ton cerveau n'a pas tiré la sonnette d'alarme pour te prévenir que c'était le dixième anniversaire de ton meurtre. À moi, cependant, tu n'as pu le cacher.

— Je n'ai pas violé ma femme !

— C'est vrai. Tu as seulement eu très envie de la violer, la première fois que tu l'as vue, au cimetière de Montmartre, il y a vingt ans. Tu en as rêvé la nuit. Au début de cet entretien, je t'ai dit que je faisais toujours ce dont j'avais envie. Je suis la partie de toi qui ne se refuse rien. Je t'ai offert ce rêve. Aucune loi n'interdit les fantasmes. Quelque temps plus tard, tu as revu Isabelle à une soirée, et tu es allé lui parler pour la première fois.

— Comment le savez-vous ?

— Parce que je suis toi, Jérôme. Tu as trouvé drôle de converser civilement avec celle que tu avais violée en rêve. Tu lui as plu. Tu plais aux femmes, quand tu parviens à me cacher.

114

— C'est vous qui êtes détraqué. C'est vous qui avez tué ma femme et qui essayez de vous persuader que je suis le meurtrier, afin de vous innocenter.

— Alors pourquoi ai-je passé des heures à plaider ma culpabilité ?

— Vous êtes dingue. Il ne faut pas chercher de logique au comportement d'un fou.

— Ne dis pas trop de mal de moi. N'oublie pas que je suis toi.

— Si vous êtes moi, pourquoi ai-je eu l'étrange fantaisie de vous créer hollandais ?

— Il valait mieux que je sois étranger afin de me différencier de toi. Je l'ai déjà dit.

— Mais pourquoi hollandais plutôt que patagon ou bantou ?

— On a les étrangers qu'on peut. Patagon ou bantou, ton cerveau n'en aurait pas été capable.

— Et pourquoi vos délires jansénistes, moi qui ne suis pas religieux pour deux sous ?

115

– Ça prouve simplement qu'il y a une partie refoulée de toi à qui il ne déplairait pas d'être mystique.

– Oh non, encore ce blabla psychanalytique de bazar !

– Regarde comme tu es fâché quand on ose suggérer que tu refoules quelque chose.

– Le verbe refouler, c'est le mot fourre-tout du XXe siècle.

– Et ça donne l'une des variétés d'assassin du XXe siècle : toi.

– Imaginez deux secondes que vos élucubrations soient exactes : ce criminel serait minable, pathétique, grotesque.

– C'est ce que je t'ai dit il y a quelques minutes : on a les criminels qu'on mérite. Désolé, mon pauvre Jérôme, il n'y avait pas de place en toi pour Jack l'Éventreur ni pour Landru. Il n'y avait place en toi que pour moi.

– Il n'y a pas place en moi pour vous !

– Je sais, c'est dur à avaler, hein ?

— Si je devais vous croire, je serais le Docteur Jekyll en train de converser avec Mister Hyde.

— Ne te vante pas. Tu es beaucoup moins bien que le Docteur Jekyll, et par conséquent tu contiens un monstre beaucoup moins admirable que cette brute sanguinaire de Hyde. Tu n'es pas un grand savant obsessionnel, tu es un petit homme d'affaires comme il y en a tant : ta seule qualité, c'était ta femme. Depuis dix ans, ton veuvage est ton unique vertu.

— Pourquoi avez-vous tué Isabelle ?

— C'est drôle. Tout à l'heure, tu ne voulais pas croire que j'étais l'assassin. Depuis que je t'ai refilé la patate chaude de la culpabilité, tu me crois sans aucune peine, tu me demandes même pourquoi j'ai tué ta femme. À présent, tu serais prêt à n'importe quoi, pourvu que l'on te persuade de ton innocence.

— Répondez : pourquoi avez-vous tué Isabelle ?

– Je ne réponds pas aux questions mal
posées. Il fallait me demander : « Pourquoi
ai-je tué ma femme ? »

– Cette question-là n'a pas lieu.

– Tu ne crois toujours pas que je suis toi ?

– Je ne le croirai jamais.

– Étrange, cette religion du moi. « Je suis
moi, rien que moi, rien d'autre que moi. Je
suis moi, donc je ne suis pas la chaise sur
laquelle je m'assieds, je ne suis pas l'arbre que
je regarde. Je suis bien distinct du reste du
monde, je suis limité aux frontières de mon
corps et de mon esprit. Je suis moi, donc je
ne suis pas ce monsieur qui passe, surtout si
le monsieur se trouve être le meurtrier de ma
femme. » Singulier credo.

– Singulier, oui, à la lettre.

– Je me demande ce que les gens de ton
espèce font de la pensée. Cela doit te per-
turber, ce flux mental qui va où il veut, qui
peut entrer dans la peau de chacun. Pourtant, c'est bien de ton petit moi que vient

cette pensée. C'est inquiétant, ça menace tes cloisons. Heureusement, la plupart des gens ont trouvé le remède : ils ne pensent pas. Pourquoi penseraient-ils ? Ils laissent penser ceux dont ils considèrent que c'est le métier : les philosophes, les poètes. C'est d'autant plus pratique qu'on ne doit pas tenir compte de leurs conclusions. Ainsi, un magnifique philosophe d'il y a trois siècles peut bien dire que le moi est haïssable, un superbe poète du siècle dernier déclarer que je est un autre : c'est joli, ça sert à converser dans les salons, sans que cela affecte le moins du monde notre réconfortante certitude – je suis moi, tu es toi et chacun reste chez soi.

– La preuve que je ne suis pas vous, c'est que vous avez la langue bien pendue.

– Voilà ce qui arrive, quand on muselle son ennemi intérieur trop longtemps : quand il parvient enfin à tenir le crachoir, il ne le lâche plus.

— La preuve que je ne suis pas vous, c'est que tout à l'heure, quand je bouchais mes oreilles, je ne vous entendais plus.

— Dans le genre, tu as fait beaucoup mieux : tu ne m'as pas entendu pendant des dizaines d'années, sans même te boucher les oreilles.

— La preuve que je ne suis pas vous, c'est que je ne connais rien au jansénisme ni à ce genre de choses. Vous êtes beaucoup plus lettré que moi.

— Non : je suis la partie de toi qui n'oublie rien. C'est l'unique différence. Si les gens avaient de la mémoire, ils s'entendraient parler de sujets auxquels ils croyaient ne rien connaître.

— La preuve que je ne suis pas vous, c'est que je déteste le beurre de cacahouètes.

Textor éclata de rire.

— Alors, ça, mon vieux, comme preuve, c'est édifiant !

— Il n'empêche que c'est vrai : j'ai horreur de ça. Qu'est-ce que vous en dites ? Vous êtes bien embêté, hein ?

— Je vais t'apprendre une chose : la partie de toi qui prétend détester le beurre de caca-houètes est la même qui salive devant les hot dogs du boulevard de Ménilmontant sans jamais oser s'en acheter.

— Qu'est-ce que vous me chantez là ?

— Quand on est un monsieur qui va à des déjeuners d'affaires où on lui sert du turbot aux petits légumes et autres bouches-en-cul-de-poulage, on affecte d'ignorer qu'il y a en soi un rustre qui rêve de bouffer des horreurs dont il dit le plus grand mal, comme le beurre de cacahouètes et les hot dogs du boulevard de Ménilmontant. Tu y allais sou-vent, au cimetière du Père-Lachaise, avec ta femme. Elle aimait tant voir les si beaux arbres nourris par les morts et les tombes des jeunes filles aimées. Toi, tu étais beaucoup plus ému par l'odeur des saucisses qui cuisaient en face. Bien entendu, tu serais rentré sous terre plutôt que de te l'avouer. Mais moi, je suis la partie de toi qui ne se refuse rien de ce dont elle a vraiment envie.

— Quel délire !

— Tu as tort de nier. Pour une fois que tu caches quelque chose de sympathique.

— Je ne cache rien, monsieur.

— Tu l'aimais, Isabelle ?

— Je l'aime toujours comme un fou.

— Et tu laisserais à un autre que toi le privilège de l'avoir tuée ?

— Ce n'est pas un privilège.

— Si. Celui qui l'a tuée, c'est forcément celui qui l'aimait le plus !

— Non ! C'est celui qui l'aimait mal !

— Mal mais plus.

— Personne ne l'aimait plus que moi.

— C'est bien ce que je te dis.

— Laissez-moi deviner. Vous êtes un maniaque sadique qui a un dossier sur chaque veuf dont la femme est morte assassinée.

Votre passion, c'est de poursuivre le malheureux pour le convaincre de sa culpabilité, comme s'il ne souffrait pas assez.

— Ce serait de l'amateurisme, voyons, Jérôme. Pour bien torturer, il faut se limiter à une seule victime, un seul élu.

— Vous convenez, au moins, que vous n'êtes pas moi.

— Je n'ai jamais dit ça. Je suis la partie de toi qui te détruit. Tout ce qui grandit accroît sa capacité d'autodémolition. Je suis cette capacité.

— Vous me fatiguez.

— Bouche-toi les oreilles.

Angust s'exécuta.

— Tu as remarqué ? Ça ne marche plus, cette fois-ci.

Jérôme se les boucha plus fort.

— Ne t'obstine pas. Au passage, si tu te bouches les oreilles comme ça, tu ne tiendras pas longtemps. Je te l'ai déjà dit : pourquoi gardes-tu tes bras en l'air ? On croirait qu'on te menace d'un revolver. Il faut se boucher les oreilles par le bas, les coudes contre la poitrine : on peut rester très longtemps dans cette position. Ah, si tu avais su cela tout à l'heure ! Je me demande, aussi, comment tu pouvais l'ignorer, mais cela n'a plus d'importance.

Angust baissa les bras, dégoûté.

– Tu vois bien que tu es moi. Cette voix que tu entends parle à l'intérieur de ta tête. Il t'est absolument impossible de fuir mon discours.

– J'ai vécu des dizaines d'années sans vous entendre. Je trouverai un moyen de vous museler.

– Tu ne le trouveras pas. C'est irréversible. Que faisais-tu, le vendredi 24 mars 1989, vers dix-sept heures ? Oui, je sais, la police t'a déjà posé cette question.

– Elle en avait le droit, elle.

– Avec toi, j'ai tous les droits.

— Si vous savez que la police me l'a déjà demandé, vous connaissez aussi la réponse.

— Oui, tu étais au travail. Il fallait vraiment que les flics aient confiance en toi pour accepter un alibi aussi faible. Pauvre mari effondré, détruit, incrédule.

— Vous me ferez avaler tout ce que vous voulez, mais pas que j'ai tué Isabelle.

— Tu manques singulièrement d'orgueil. On te propose deux rôles : celui de la victime innocente et celui de l'assassin, et toi, tu choisis de n'y être pour rien.

— Je ne choisis rien. Je me conforme à la réalité.

— La réalité ? Cette blague ! Oserais-tu m'affirmer, les yeux dans les yeux, que tu te rappelles avoir passé cet après-midi au bureau ?

— Oui, je m'en souviens !

— Ton cas est encore plus grave que je ne le pensais.

— Et vous, que devrais-je penser de vous ? Vous changez de version comme de chemise !

Ce long dialogue que vous prétendiez avoir eu avec Isabelle, c'était quoi ?

— Tu as eu bien d'autres conversations fictives avec elle. Quand on aime, on parle dans sa tête à l'être aimé.

— Et ce passé que vous m'avez raconté, vos parents morts, le meurtre mental de votre petit camarade, la nourriture pour chats, c'était quoi ?

— Tu serais prêt à inventer n'importe quoi pour te persuader que je suis un autre.

— C'est trop facile. Vous pouvez avoir réponse à toutes les invraisemblances, avec un pareil argument.

— Normal. Je suis ta partie diabolique. Le diable a réponse à tout.

— Ce n'est pas pour autant qu'il convainc. À propos, le voyage à Barcelone, c'était vous ?

— Non, non. Pas plus que le retard. Je n'ai téléphoné ni à ton chef ni à l'aéroport.

— Pourquoi ces mensonges tout à l'heure ?

— Pour te faire craquer. Si tu m'avais tué à ce moment-là, j'aurais pu t'épargner ces pénibles révélations.

— Pourquoi l'aéroport ?

— Le retard d'avion. L'attente forcée pour une durée indéterminée : enfin un moment où tu étais vraiment disponible. Les gens de ton espèce ne deviennent vulnérables que dans l'imprévu et le vide. Cela, plus la conjonction de la date d'aujourd'hui, ce dixième anniversaire qui a effleuré ton inconscient ce matin : tu étais mûr pour ouvrir les yeux. À présent, le virus est dans ton ordinateur mental. Il est trop tard. C'est pourquoi tu m'entends même quand tu as les oreilles bouchées.

— Racontez-moi donc ce qui s'est passé !

— Que tu es pressé, maintenant !

— Si j'ai assassiné Isabelle, j'aimerais au moins savoir pourquoi.

— Parce que tu l'aimais. Chacun tue ce qu'il aime.

127

– Alors quoi, je suis rentré chez moi et j'ai poignardé le ventre de ma femme à plusieurs reprises, comme ça, sans raison ?

– Sans autre raison que l'amour qui mène tout à sa perte.

– Ce sont là de belles phrases mais elles n'ont aucun sens pour moi.

– Elles en ont pour moi qui suis en toi. Il ne faut pas se voiler la face : même le plus amoureux des hommes – surtout le plus amoureux des hommes – désire, un jour ou l'autre, ne serait-ce que l'espace d'un instant, tuer sa femme. Cet instant, c'est moi. La plupart des gens parviennent à escamoter cet aspect de leur être souterrain, au point de croire qu'il n'existe pas. Toi, c'est encore plus spécial : l'assassin que tu abrites, tu ne l'as jamais rencontré. Pas plus que tu n'as rencontré le mangeur de hot dogs clandestin ou celui qui rêve de viols, la nuit, dans les cimetières. Aujourd'hui, par accident mental, tu te retrouves nez à nez avec lui. Ta première attitude consiste à ne pas le croire.

— Vous n'avez aucune preuve matérielle de ce que vous avancez. Pourquoi vous croirais-je sur parole ?

— Les preuves matérielles sont une chose si grossière et si bête qu'elles devraient infirmer les convictions au lieu de les consolider. En revanche, que dis-tu de ceci ? Le vendredi 24 mars 1989, vers dix-sept heures, tu es arrivé chez toi à l'improviste. Isabelle n'en a pas été autrement surprise mais elle t'a trouvé bizarre. Et pour cause : c'est la première fois qu'elle rencontrait Textor Texel. C'était toi et ce n'était pas toi. Toi, tu plais aux femmes ; moi pas. Tu as déplu à Isabelle ce jour-là, sans qu'elle sache pourquoi. Tu ne parlais pas, tu te contentais de la regarder avec ces yeux d'obsédé pervers qui sont les miens. Tu l'as prise dans tes bras : elle s'est dégagée de ton étreinte avec un air de dégoût. Tu as recommencé. Elle s'est éloignée pour te signifier son refus. Elle s'est assise dans le canapé et ne t'a plus regardé. Tu n'as pas supporté qu'elle ne veuille pas avoir affaire à Textor Texel. Tu es allé à la cuisine et tu as pris le plus grand des couteaux. Tu t'es approché d'elle, elle ne s'est pas méfiée. Tu l'as poignardée à plusieurs reprises. Aucune parole ne fut échangée.

Silence.

— Je ne me souviens pas, dit Jérôme avec obstination.

— La belle affaire ! Moi, je me souviens.

— Tout à l'heure, vous m'avez raconté une version complètement différente. À quand la troisième, la quatrième ?

— Je t'avais raconté la version de Textor Texel, qui n'est pas contradictoire avec celle de Jérôme Angust. Ta femme t'a détesté, ce jour-là, parce qu'elle a deviné en toi le monstre se pourléchant de rêves de viol. Ta version est silencieuse, la mienne sous-titre ce mutisme du dialogue mental que Textor

Texel a eu avec Isabelle. Dans ma version, j'évoquais Adam et Ève. Ça tombe bien : dans la Genèse aussi, il y a deux versions de leur histoire. Le narrateur vient à peine de finir le récit de la chute qu'il le raconte à nouveau, d'une autre manière. À croire qu'il y prend plaisir.

— Moi pas.

— Tant pis pour toi. Après le meurtre, tu as emporté le couteau et tu es reparti au bureau. Là, tu es redevenu calmement Jérôme Angust. Tout était à sa place. Tu étais heureux.

— C'était la dernière fois de ma vie que j'étais heureux.

— Vers vingt heures, tu es retourné chez toi, comme un type content d'être en week-end.

— J'ai ouvert la porte et j'ai découvert le spectacle.

— Spectacle que tu avais déjà vu : tu en étais l'auteur.

– J'ai hurlé d'horreur et de désespoir. Les voisins sont arrivés. Ils ont appelé la police. Quand elle m'a interrogé, j'étais sonné, abruti. On n'a jamais retrouvé le coupable.

– Quand je te disais que tu avais commis le crime parfait !

– Le crime le plus infect qui soit, oui.

– Ne te flatte pas. Tu es drôle. Ce col-blanc à qui l'on vient d'apprendre qu'il a tué sa femme et qui se prend pour un être abject : c'est la folie des grandeurs. Tu n'es qu'un amateur, ne l'oublie pas.

– Vous, que vous soyez moi ou non, je vous hais !

– Tu as encore un doute ? Prends ton portable, appelle ta secrétaire.

– Pour lui dire quoi ?

– Obéis-moi.

– Je veux savoir !

– Si tu continues, c'est moi qui l'appelle.

Angust sortit son portable et composa un numéro.

— Catherine ? C'est Jérôme. Je ne vous dérange pas ?

— Dis-lui d'aller regarder sous la liasse de paperasse, dans le dernier tiroir en bas à gauche de ton bureau.

— Pourriez-vous me rendre un service ? Regardez sous la pile de paperasse, dans le dernier tiroir en bas à gauche de mon bureau. Merci. J'attends, je reste en ligne.

— À ton avis, que va-t-elle y trouver, cette chère Catherine ?

— Aucune idée. Je n'ai plus ouvert ce tiroir depuis... Allô, oui, Catherine ? Ah. Merci. Je l'avais perdu depuis quelque temps. Désolé de vous avoir dérangée. À bientôt.

Angust coupa la communication. Il était livide.

— Eh oui, sourit Textor. Le couteau. Il est au fond de ce tiroir depuis dix ans. Bravo, tu as été impeccable. Aucune émotion dans ta voix. Catherine n'y a vu que du feu.

– Ça ne prouve rien. C'est vous qui avez mis ce couteau à cet endroit !

– Oui, c'est moi.

– Ah ! Vous avouez !

– J'ai avoué depuis longtemps.

– Vous aurez profité d'une absence de Catherine et vous vous serez glissé dans mon bureau...

– Arrête. Je suis toi. Je n'ai pas besoin de me dissimuler pour aller dans ton bureau.

Angust prit sa tête dans ses mains.

– Si vous êtes moi, pourquoi n'ai-je aucun souvenir de ce que vous racontez ?

– Il n'est pas nécessaire que tu t'en souviennes. Je me rappelle ton crime à ta place.

– En ai-je commis d'autres ?

– Ça ne te suffit pas ?

– J'aimerais que vous ne me cachiez plus rien.

– Rassure-toi. Dans ta vie, tu n'as aimé qu'Isabelle. Tu n'as donc tué qu'elle. Tu l'avais découverte dans un cimetière, tu l'as restituée au lieu de votre rencontre.

— Je ne parviens pas à vous croire. J'aimais Isabelle à un point que vous n'imaginez pas.

— Je sais. Je l'aimais du même amour. Si tu ne parviens pas à me croire, n'oublie pas, mon cher Jérôme, qu'il existe un moyen ultime et infaillible de vérifier mes dires.

— Ah ?

— Tu ne vois pas ?

— Non.

— C'est pourtant une chose que je te demande depuis pas mal de temps.

— Vous tuer ?

— Oui. Si tu es toujours en vie après m'avoir tué, tu sauras alors que tu étais innocent du meurtre de ta femme.

— Mais coupable de vous avoir assassiné.

— C'est ce qu'on appelle un risque.

— Risquer sa vie, en l'occurrence.

135

— C'est un pléonasme. Le risque, c'est la vie même. On ne peut risquer que sa vie. Et si on ne la risque pas, on ne vit pas.

— Mais là, si je risque, je meurs !

— Tu meurs encore plus si tu ne risques pas.

— Vous n'avez pas l'air de comprendre. Si je vous tue et que vous n'êtes pas moi, je passe le restant de mes jours en prison !

— Si tu ne me tues pas, tu passes le restant de tes jours dans une prison mille fois plus abominable : ton cerveau, où tu ne cesseras de te demander, jusqu'à la torture, si tu es l'assassin de ta femme.

— Au moins, je serai libre.

Textor hurla de rire.

— Libre ? Libre, toi ? Tu te trouves libre ? Ta vie brisée, ton travail, c'est ce que tu appelles être libre ? Et tu n'as encore rien vu : tu crois que tu seras libre quand tu passeras des nuits entières à débusquer le criminel en toi ? De quoi seras-tu libre, alors ?

— C'est un cauchemar, dit Angust en secouant la tête.

— Oui, c'est un cauchemar, mais il a une issue. Il n'en a qu'une. Heureusement, elle est sûre.

— Qui que vous soyez, vous m'avez mis dans la situation la plus infernale de l'univers.

— Tu t'y es mis tout seul, mon vieux.

— Cessez de me parler avec cette insupportable familiarité !

— Monsieur Jérôme Angust est trop précieux pour qu'on le tutoie ?

— Vous avez gâché ma vie. Ça ne vous suffit pas ?

— C'est drôle, ce besoin qu'ont les gens d'accuser les autres d'avoir gâché leur existence. Alors qu'ils y parviennent si bien eux-mêmes, sans l'aide de quiconque !

— Taisez-vous.

— Tu n'aimes pas qu'on te dise la vérité, hein ? Dans le fond, tu sais bien que j'ai raison. Tu sais que tu as tué ta femme. Tu le sens.

– Je ne sens rien !

– Si tu n'avais pas l'ombre d'un doute, tu ne serais pas dans cet état.

Texel rit.

– Ça vous fait rigoler ?

– Tu devrais te voir. Ta souffrance est pitoyable.

August explosa de haine. Un geyser d'énergie enragée lui monta du bas du ventre jusqu'aux ongles et aux dents. Il se leva et attrapa son ennemi par le revers de sa veste.

– Vous riez toujours ?

– Je jubile !

– Vous n'avez pas peur de mourir ?

– Et toi, Jérôme ?

– Je n'ai plus peur de rien !

– Il était temps.

August lança Texel jusqu'au mur le plus proche. Il se fichait des spectateurs comme d'une guigne. Il n'y avait plus place en lui que pour sa haine.

— Vous riez toujours ?

— Tu me vouvoies toujours ?

— Crève !

— Enfin ! s'extasia Textor.

Angust s'empara de la tête de son ennemi et la fracassa à plusieurs reprises sur le mur. Chaque fois qu'il écrasait ce crâne sur la paroi, il criait : « Libre ! Libre ! Libre ! »

Il recommença et recommença. Il exultait.

Quand la boîte noire de Texel éclata, Jérôme éprouva un soulagement profond.

Il lâcha le corps et s'en alla.

Le 24 mars 1999, les passagers qui attendaient le départ du vol pour Barcelone assistèrent à un spectacle sans nom. Comme l'avion en était à sa troisième heure de retard inexpliqué, l'un des voyageurs quitta son siège et vint se fracasser le crâne à plusieurs reprises sur l'un des murs du hall. Il était animé d'une violence si extraordinaire que personne n'osa s'interposer. Il continua jusqu'à ce que mort s'ensuivît.

Les témoins de ce suicide inqualifiable précisèrent un détail. Chaque fois que l'homme venait se taper la tête contre la paroi, il ponctuait son geste d'un hurlement. Et ce qu'il criait, c'était :

– Libre ! Libre ! Libre !

DU MÊME AUTEUR

Aux Éditions Albin Michel

HYGIÈNE DE L'ASSASSIN, 1992.

LE SABOTAGE AMOUREUX, 1993.

LES COMBUSTIBLES, 1994.

LES CATILINAIRES, 1995.

PÉPLUM, 1996.

ATTENTAT, 1997.

MERCURE, 1998.

STUPEUR ET TREMBLEMENTS, 1999, Grand Prix du roman de l'Académie française.

MÉTAPHYSIQUE DES TUBES, 2000.

La composition de cet ouvrage
a été réalisée par
I.G.S. Charente Photogravure à l'Isle-d'Espagnac
l'impression et le brochage ont été effectués
sur presse Cameron
*dans les ateliers de **Bussière Camedan Imprimeries***
à Saint-Amand-Montrond (Cher),
pour le compte des Éditions Albin Michel.

Achevé d'imprimer en septembre 2001.
N° d'édition : 20171. N° d'impression : 013924/4.
Dépôt légal : septembre 2001.